WORDSEARCH SPANISH

WORDSEARCH SPANISH

The Fun Way to Learn the Language

ARCTURUS

ARCTURUS
This edition published in 2021 by Arcturus Publishing Limited
26/27 Bickels Yard, 151–153 Bermondsey Street,
London SE1 3HA

ISBN: 978-1-83940-203-6
AD007991NT

Printed in China

Introduction

¡Hola! Welcome to this book of more than 100 wonderful wordsearch puzzles, designed to be a fun introduction to the Spanish language!

An in-depth knowledge of the Spanish language is not necessary even if you plan to head off on a Spanish adventure, but you'll be surprised at the difference a few basic words and phrases can make. A polite "hello" upon entering a store, a "please" and "thank you" when ordering your tapas, and a friendly "how are you?" can really make a difference and ensure service with a smile.

While not a comprehensive guide to learning Spanish, nor a replacement for a phrasebook or Spanish tuition, this book is intended to be an entertaining way to build your vocabulary and expand your knowledge of all things Spanish. The wordsearches within contain Spanish vocabulary and phrases alongside their English translations with useful topics such as greetings, numbers, and telling the time. Alongside these vocabulary building puzzles are fun wordsearches filled with Spanish trivia, such as puzzles about Spanish poets, Spanish language cinema, or things to see and do in Madrid.

All you need to do is find the capitalized, italicized Spanish words within the grids. Whether you are a complete novice looking to learn a few words before your holiday, a learner looking for a new way to expand your knowledge of Spanish words, or are just in need of a refresher in the language, you're sure to learn a lot as you enjoy solving the puzzles. You can also use them as a fun way to help your children to learn Spanish!

Before you begin, you will find on the next page a few basic tips to help get you started on your Spanish adventure.

This book uses European Spanish (Castilian).

Gender

All Spanish nouns are either masculine or feminine. A masculine singular noun is indicated by **el** (though there are a few instances where **el** is used with feminine nouns) and a feminine singular noun by **la** (both meaning "the" in the singular). Masculine plural nouns are indicated by **los**, and feminine plural by **las** ("the" in the plural).

Adjectives

The ending of most Spanish adjectives will change depending on whether they are describing a masculine or feminine, singular or plural word. In cases where the adjective changes, these words will be listed as masculine singular followed by feminine singular, e.g.

Simpático / simpática (friendly)

"You"

In Spanish "you" has two forms **tú** (the familiar form in the singular, the plural is **vosotros**) and **usted** (the polite form singular, the plural is **ustedes**). For the most part, this book uses **usted** as this is normal with people you do not know, unless the phrase is clearly being directed at someone with whom you are familiar when it will use **tú.**

Whether you are looking for education or fun, you're sure to love the puzzles contained within!

1

Palabras y frases esenciales: Essential Words and Phrases

I	H	A	V	E	S	S	A	I	C	A	R	G	O	Í
O	R	O	V	A	F	R	O	P	J	N	W	M	S	V
Ü	T	D	M	Y	Ñ	Y	X	Ó	N	Í	Ó	F	E	V
C	Q	N	M	B	K	S	A	Í	Ñ	C	H	S	D	P
E	Q	Á	Á	T	D	M	Y	D	Ó	N	D	E	R	Ñ
S	V	U	Á	U	A	Á	E	O	Y	E	D	Y	A	O
T	M	C	G	L	C	P	A	U	T	T	U	R	T	O
Á	F	U	L	H	L	L	S	Ó	A	S	E	N	O	M
O	S	G	C	U	O	T	Ñ	Y	Q	I	E	Q	Ú	A
S	Í	É	C	H	E	S	U	F	S	I	Ñ	D	W	L
U	E	S	L	D	A	D	E	I	S	Ó	I	D	A	L
L	I	H	C	G	A	S	U	O	L	U	E	G	O	J
D	D	N	C	R	N	Q	L	Ú	Ó	Z	F	N	X	W
Q	Ñ	A	M	O	C	I	G	Q	B	C	A	R	L	Á
B	Y	E	R	C	N	O	Í	D	E	N	A	D	A	V

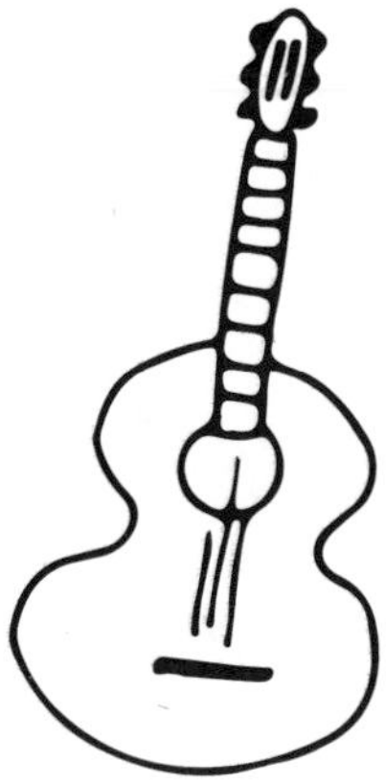

HOLA (Hello)

ADIÓS (Goodbye)

Buenas *TARDES*
(Good afternoon)

Buenas *NOCHES*
(Good evening / goodnight)

Hasta *LUEGO*. (See you later.)

DE NADA. (You are welcome.)

DISCULPE. (Excuse me.)

LO SIENTO. (Sorry.)

POR FAVOR. (Please.)

(*MUCHAS*) *GRACIAS*.
(Thank you (very much).)

¿Cómo *ESTÁ*? (How are you?)

ESTOY bien, gracias.
(I am fine, thank you.)

¿*Y USTED*? (And you?)

¿Puede *AYUDARME*?
(Can you help me?)

QUISIERA … (I would like …)

¿*CUÁNDO* es …?
(When is …?)

¿*DÓNDE* puedo …?
(Where can I …?)

¿*CUÁNTO* cuesta?
(How much is …?)

¿Habla *INGLÉS*?
(Do you speak English?)

¿*CÓMO* se *LLAMA*?
(What is your name?)

Me *LLAMO* … (My name is …)

2

Compresión: Understanding

D	O	M	Ó	C	E	D	O	P	O	N	N	D	O	J
E	D	P	Ñ	S	H	T	F	D	O	V	Ú	L	X	A
T	A	Ñ	T	T	N	Á	N	A	H	C	B	C	F	I
E	U	Á	P	Ó	E	E	S	D	N	A	O	É	J	R
R	O	T	N	E	I	S	E	E	H	E	B	Á	G	A
P	L	Ñ	Á	T	H	C	C	O	P	O	Ü	L	É	I
R	R	É	N	Ó	I	E	N	L	I	M	L	S	A	C
É	I	E	G	R	S	R	U	C	R	Í	O	M	E	N
T	B	E	M	I	E	C	A	R	K	L	A	N	B	U
N	I	E	T	L	S	P	I	T	O	M	M	Z	I	N
I	R	O	Á	I	S	T	Ü	N	A	V	X	I	R	O
H	C	Á	D	E	E	R	M	L	G	C	Í	K	C	R
S	S	Y	D	P	M	Ü	L	Ó	X	L	P	É	S	P
E	E	I	E	D	N	E	I	T	N	E	É	Í	E	Á
Y	C	R	S	A	C	I	F	I	N	G	I	S	P	K

¿*HABLA* inglés?
(Do you speak English?)

¿Hay alguien que hable *INGLÉS*?
(Does anyone speak English?)

NO HABLO …
(I do not speak …)

Hablo un *POCO* de …
(I speak a little …)

NECESITO un *INTÉRPRETE*.
(I need an interpreter.)

DISCULPE. (Excuse me.)

¿Qué *SIGNIFICA* …?
(What does … mean?)

¿*ENTIENDE*?
(Do you understand?)

ENTIENDO / no entiendo.
(I understand/I do not understand.)

¿Cómo se *PRONUNCIA* …?
(How do you pronounce …?)

¿Cómo se *ESCRIBE* …?
(How do you write …?)

¿Puede *REPETIR*?
(Could you repeat that?)

¿Puede *ESCRIBIRLO*?
(Could you please write that down?)

¿Puede hablar más *DESPACIO*?
(Could you please speak more slowly?)

NO LO SÉ. (I do not know.)

Lo *SIENTO*. (Sorry.)

¿*CÓMO* se *LLAMA* eso?
(What is that called?)

¿Puede *DECIRME* …?
(Can you tell me about …?)

¿*ESTÁ* en inglés?
(Is this available in English?)

3

Los números: Numbers

E	P	K	E	L	Q	U	I	N	I	E	N	T	O	S
Q	U	I	N	C	E	C	I	E	N	T	R	S	R	J
A	K	S	E	T	E	N	T	A	O	E	A	É	T	A
A	X	Ú	O	O	V	R	Z	O	V	V	T	P	A	T
T	Z	N	R	A	C	O	T	C	E	E	N	O	U	N
N	C	E	S	Í	D	H	M	W	N	U	E	C	C	E
E	C	A	Ü	D	É	S	O	Q	T	N	S	H	É	R
U	F	O	T	A	O	H	I	Q	A	N	E	E	G	A
C	P	D	N	N	O	C	C	E	Ó	Q	S	N	S	U
N	I	U	O	Ü	I	A	E	L	S	E	U	T	P	C
I	Ñ	N	L	S	T	E	L	E	Á	T	I	A	T	É
C	É	Ó	C	O	U	I	R	L	H	E	D	R	L	Ü
Í	Ú	H	R	O	M	N	R	T	V	I	E	U	Ó	U
J	É	C	Í	L	A	Ñ	E	L	E	S	C	U	N	I
V	E	I	N	T	E	Z	E	Z	A	E	C	O	B	L

CERO (Zero)

UNO / *UNA* (One)

DOS (Two)

TRES (Three)

CUATRO (Four)

CINCO (Five)

SEIS (Six)

SIETE (Seven)

OCHO (Eight)

NUEVE (Nine)

DIEZ (Ten)

ONCE (Eleven)

DOCE (Twelve)

TRECE (Thirteen)

CATORCE (Fourteen)

QUINCE (Fifteen)

VEINTE (Twenty)

TREINTA (Thirty)

CUARENTA (Forty)

CINCUENTA (Fifty)

SESENTA (Sixty)

SETENTA (Seventy)

OCHENTA (Eighty)

NOVENTA (Ninety)

CIEN (One hundred)

QUINIENTOS (Five hundred)

Un *MILLÓN* (One million)

4

El calendario: The Calendar

S	N	O	O	V	E	R	A	N	O	Y	A	M	S	M
O	E	Ú	G	Ñ	X	C	O	O	G	A	Ñ	Á	O	E
Í	R	N	T	N	A	V	C	N	Q	Ñ	B	J	C	S
S	F	E	R	J	I	T	O	Z	R	A	M	R	I	E
E	T	S	R	E	U	M	T	E	D	F	P	N	I	S
P	E	H	M	B	I	Ü	O	O	D	R	Y	X	M	L
T	M	B	R	I	E	V	Ñ	D	I	Í	L	O	V	D
I	R	E	X	U	É	F	O	M	S	J	A	T	D	I
E	M	K	S	E	T	R	A	M	E	U	J	S	U	C
M	A	R	P	Ñ	E	V	C	Ú	N	N	Q	O	J	I
B	Ñ	H	H	N	E	Á	O	O	U	I	N	G	U	E
R	A	O	E	R	G	Q	É	E	L	O	C	A	E	M
E	N	Y	A	O	J	U	L	I	O	E	G	Ó	V	B
Í	A	S	E	M	A	N	A	S	T	É	S	I	E	R
L	T	O	M	R	I	N	V	I	E	R	N	O	S	E

El *LUNES* (Monday)

El *MARTES* (Tuesday)

El *MIÉRCOLES* (Wednesday)

El *JUEVES* (Thursday)

El *VIERNES* (Friday)

El *SÁBADO* (Saturday)

El *DOMINGO* (Sunday)

ENERO (January)

FEBRERO (February)

MARZO (March)

ABRIL (April)

MAYO (May)

JUNIO (June)

JULIO (July)

AGOSTO (August)

SEPTIEMBRE (September)

OCTUBRE (October)

NOVIEMBRE (November)

DICIEMBRE (December)

La *PRIMAVERA* (Spring)

El *VERANO* (Summer)

El *OTOÑO* (Autumn/Fall)

El *INVIERNO* (Winter)

HOY (Today)

MAÑANA (Tomorrow)

AYER (Yesterday)

Los *DÍAS* (Days)

Las *SEMANAS* (Weeks)

Los *MESES* (Months)

El *AÑO* (Year)

5

Decir la hora: Telling the Time

R	A	Í	O	Y	A	Í	D	O	I	D	E	M	L	E
Ú	I	Ü	D	O	N	Á	O	A	P	O	N	Ó	R	A
Q	D	I	T	R	E	S	C	U	A	R	T	O	S	R
M	E	D	I	A	N	O	C	H	E	Á	G	B	S	O
Z	M	H	S	E	A	R	O	H	É	U	Q	F	J	H
A	Y	A	C	E	S	M	E	D	I	O	D	Í	A	A
O	G	Ñ	N	O	Y	V	E	I	N	T	E	O	R	L
T	X	E	N	A	N	I	M	R	E	T	Y	O	P	G
R	A	E	L	L	Ñ	O	S	M	X	C	H	U	E	Ú
A	M	Z	P	L	T	A	P	Ü	U	A	E	O	D	P
U	K	Ó	E	U	L	R	M	A	I	S	G	G	R	K
C	S	M	N	I	A	Ñ	R	D	T	E	Z	O	A	A
N	A	I	D	N	P	T	E	A	U	Ú	N	V	T	N
U	M	A	O	Ü	O	M	S	L	O	T	N	U	P	Ó
S	E	G	U	N	D	O	E	Y	O	Q	Ñ	Ü	V	Í

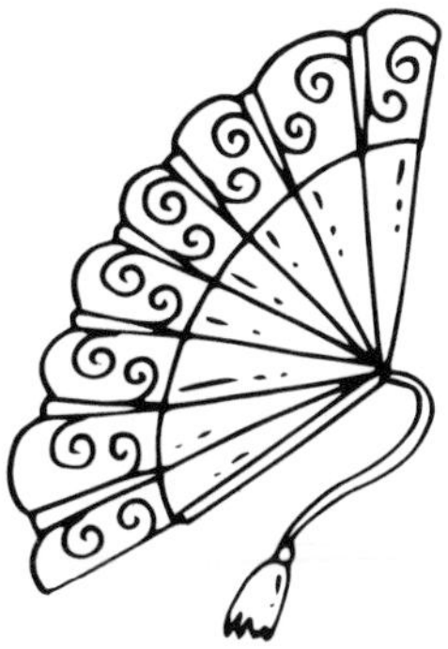

¿*QUÉ HORA ES*?
(What time is it?)

ES MEDIODÍA. (It is noon.)

Es *MEDIANOCHE*.
(It is midnight.)

Es la …/Son las … en *PUNTO*.
(It is … o'clock.)

La *MAÑANA* (Morning)

EL MEDIODÍA (Afternoon)

La *TARDE* (Evening)

La *NOCHE* (Night)

El *SEGUNDO* (Second)

El *MINUTO* (Minute)

LA HORA (Hour)

UN CUARTO de hora
(A quarter of an hour)

MEDIA HORA (Half an hour)

TRES CUARTOS de hora
(Three-quarters of an hour)

TEMPRANO (Early)

PRONTO (Soon)

¿A qué hora *EMPIEZA* / *TERMINA*?
(What time does it start/ finish?)

Y DIEZ (Ten past)

MENOS diez (Ten to)

Y VEINTE (Twenty past)

Y CUARTO (Quarter past)

Y MEDIA (Half past)

Hasta *LUEGO*. (See you later.)

LLEGA pronto / tarde.
(You're early/late.)

La *SALIDA* del sol (Sunrise)

La *PUESTA* del sol (Sunset)

6

El tiempo: The Weather

B	K	O	R	O	D	A	L	I	T	N	E	V	I	P
J	F	P	P	Ó	N	V	H	I	E	L	A	N	C	K
V	T	M	B	R	Z	E	D	N	Ó	D	Ó	V	U	G
V	I	E	N	T	O	Ó	B	S	B	I	C	U	Á	L
O	O	I	Í	S	Ñ	N	O	L	C	É	T	H	N	Ú
D	R	T	S	I	Á	D	Ó	C	I	O	J	R	T	S
N	E	H	E	C	A	H	E	S	R	N	A	A	O	A
E	R	K	E	R	N	T	C	M	T	V	A	R	S	U
I	B	P	G	L	O	E	E	A	E	I	P	P	E	G
V	M	U	Ü	R	A	N	U	I	L	O	C	M	B	A
O	O	E	P	Y	T	N	N	B	Ú	O	H	O	U	R
L	S	D	Á	A	U	Á	D	L	S	O	R	C	N	A
L	A	E	L	O	S	Ú	E	O	Y	Z	Í	T	U	P
G	J	M	A	O	D	N	A	Z	I	N	A	R	G	M
É	O	R	E	U	Q	S	A	B	U	H	C	O	F	R

¿*CUÁL* es el *PRONÓSTICO* del *TIEMPO*?
(What is the forecast?)

¿*CUÁNTOS* grados hay?
(What is the temperature?)

Hay … *GRADOS*.
(It is … degrees.)

¿Qué tiempo *HACE*?
(What is the weather like?)

Hace *BUEN* tiempo. (It is good.)

Hace *MAL* tiempo. (It is bad.)

Hace *CALOR*. (It is warm.)

Hace *MUCHO* calor. (It is hot.)

Hace *FRÍO*. (It is cold.)

Hace *SOL*. (It is sunny.)

Está *LLOVIENDO*. (It is raining.)

Hay *NUBES*. (It is cloudy.)

Hay *TORMENTA*. (It is stormy.)

Hace *VIENTO*. (It is windy.)

NIEVA (It is snowing.)

HIELA (It is icy.)

Hay *NEBLINA*. (It is misty.)

Está *GRANIZANDO*.
(It is hailing.)

Está *HELANDO*. (It is freezing.)

¿Necesito *PROTECCIÓN* solar?
(Do I need sunblock?)

¿*DÓNDE* se puede comprar un *CHUBASQUERO*?
(Where can I buy a raincoat?)

¿Dónde se *PUEDE* comprar un *PARAGUAS*?
(Where can I buy an umbrella?)

¿Dónde se puede *COMPRAR* un *VENTILADOR*?
(Where can I buy a fan?)

¿Dónde se puede comprar un *SOMBRERO*?
(Where can I buy a sunhat?)

7

Los verbos más habituales: Common Verbs

C	H	N	E	C	E	S	I	T	A	R	K	V	R	D
O	C	A	D	Í	R	Ó	E	Á	J	É	U	A	Í	Ó
N	K	O	B	E	Ú	U	Ó	C	M	D	T	S	E	M
V	R	H	M	L	N	R	E	L	B	N	A	E	A	A
E	E	O	W	P	A	T	I	R	U	T	E	N	E	R
R	C	P	R	Ñ	R	R	E	G	E	G	K	T	R	C
T	A	W	A	I	I	A	E	N	P	B	P	I	A	H
I	H	F	S	T	C	R	R	T	D	V	A	R	Z	A
R	I	X	S	U	P	E	N	V	Ñ	E	L	S	I	R
S	G	I	E	Ú	D	Y	D	W	M	N	R	Í	L	S
E	X	É	R	O	L	É	Á	P	Á	I	O	L	A	E
E	R	A	R	E	P	S	E	Z	Ú	R	D	P	E	Á
J	A	M	E	A	Í	Z	R	A	J	A	B	A	R	T
M	I	R	L	L	A	M	A	R	R	B	E	B	E	R
R	C	O	R	R	E	R	B	R	A	M	O	T	C	Q

SER (To be)
HACER (To do)
COMER (To eat)
BEBER (To drink)
USAR (To use)
TRABAJAR (To work)
TENER (To have)
VENIR (To come)
NECESITAR (To need)
DECIR (To say)

HABLAR (To speak)
DAR (To give)
SABER (To know)
MARCHARSE (To leave)
PREGUNTAR (To ask)
DORMIR (To sleep)
ENTENDER (To understand)
CORRER (To run)
TOMAR (To take)
EMPEZAR (To start)

CONVERTIRSE (To become)
ESPERAR (To wait)
EXISTIR (To exist)
LLAMAR (To call)
COMPRAR (To buy)
SENTIR (To feel)
REALIZAR (To make)
LEER (To read)

8

Ciudades españolas: Spanish Cities and Towns

A	O	T	E	A	I	C	N	E	L	A	V	Z	Á	B
V	Ñ	Y	S	A	L	A	M	A	N	C	A	W	T	Ó
L	O	M	C	N	Z	I	D	Á	C	R	N	R	L	Ó
E	R	Á	T	O	R	R	E	L	A	V	E	G	A	U
U	G	L	O	R	S	F	U	G	S	R	G	M	S	W
H	O	A	L	I	Á	G	O	O	B	P	A	E	P	A
N	L	G	E	G	O	Z	G	P	A	D	T	S	A	L
A	Ó	A	D	E	A	R	T	M	R	E	R	E	L	M
I	O	E	O	L	U	W	P	I	C	B	A	V	M	E
C	U	Í	L	B	L	L	D	A	E	V	C	I	A	R
N	O	R	Ú	Í	O	E	B	N	L	I	G	L	S	Í
E	M	S	Ü	N	F	L	I	C	O	G	C	L	F	A
L	G	R	A	N	A	D	A	D	N	O	H	A	Q	O
A	L	L	E	B	R	A	M	B	A	D	A	J	O	Z
P	I	O	A	B	L	I	B	A	S	E	R	N	A	M

ALBACETE
ALMERÍA
BADAJOZ
BARCELONA
BILBAO
BURGOS
CÁDIZ
CARTAGENA
GIRONA
GRANADA

HUELVA
LAS PALMAS
LEÓN
LLEIDA
LOGROÑO
LUGO
MADRID
MÁLAGA
MANRESA
MARBELLA

PALENCIA
PAMPLONA
SALAMANCA
SALT
SEVILLA
TOLEDO
TORRELAVEGA
VALENCIA
VIGO
ZARAGOZA

9 Los adjetivos más habituales: Common Adjectives

Y	O	C	E	R	R	A	D	A	S	N	A	C	G	Ñ
J	T	Ñ	S	R	E	P	U	G	N	A	N	T	E	A
R	L	G	E	B	C	A	R	O	J	O	F	Ú	L	R
A	A	U	N	E	A	S	Y	A	A	T	N	E	L	A
T	U	A	C	T	R	R	B	D	J	N	O	F	X	C
R	A	P	I	N	Á	I	A	O	Ñ	E	U	Q	E	P
E	V	O	L	E	P	C	B	T	S	L	B	A	J	O
I	E	B	L	I	I	Ó	T	T	A	O	J	E	I	V
B	U	R	O	L	D	A	Ú	R	C	V	S	E	A	K
A	N	E	P	A	A	P	Ñ	A	I	T	A	B	B	Z
Í	E	M	A	C	I	R	N	E	Ú	S	A	N	I	A
Y	O	F	A	D	W	S	J	P	U	R	T	L	E	P
C	I	Í	O	A	A	A	I	B	A	Q	E	E	R	A
G	R	A	N	D	E	D	B	T	Á	F	E	U	T	U
F	R	Í	O	T	A	T	O	V	E	U	N	P	O	G

GUAPO / *GUAPA* (Pretty)

FEO / *FEA* (Ugly)

FELIZ (Happy)

TRISTE (Sad)

ALTO / *ALTA* (Tall)

BAJO / *BAJA* (Short)

GRANDE (Big)

PEQUEÑO / *PEQUEÑA* (Small)

SENCILLO / sencilla (Simple)

Complicado / *COMPLICADA* (Complicated)

RICO / *RICA* (Rich)

POBRE (Poor)

REPUGNANTE (Disgusting)

ESTÚPIDO / *ESTÚPIDA* (Stupid)

NUEVO / *NUEVA* (New)

VIEJO / *VIEJA* (Old)

ABIERTO / *ABIERTA* (Open)

Cerrado / *CERRADA* (Closed)

CANSADO / *CANSADA* (Tired)

CALIENTE (Hot)

FRÍO / *FRÍA* (Cold)

CARO / *CARA* (Expensive)

BARATO / *BARATA* (Cheap)

Rápido / *RÁPIDA* (Fast)

LENTO / *LENTA* (Slow)

10

Las preposiciones: Prepositions

I	O	D	E	S	D	E	N	F	R	E	N	T	E	Ü
P	J	E	N	L	A	E	S	Q	U	I	N	A	D	E
E	A	P	A	L	L	A	D	O	D	E	N	T	R	O
D	B	Á	O	B	E	D	S	É	V	A	R	T	A	X
R	A	U	L	R	É	I	C	D	T	A	S	A	L	Y
O	D	E	Z	L	D	A	H	Y	Ó	N	Á	C	F	W
D	E	X	M	Ú	A	E	B	W	U	T	R	O	I	A
E	L	C	W	N	D	S	L	A	V	E	T	N	N	M
D	A	E	R	T	N	E	Á	A	O	S	E	T	A	I
E	N	P	V	L	J	G	S	M	N	D	D	R	L	C
R	T	T	H	O	O	C	C	P	E	T	I	A	D	N
L	E	O	S	I	J	K	E	B	U	Á	E	B	E	E
A	D	A	V	Í	H	Ñ	A	R	M	É	C	F	E	P
N	E	O	Í	A	É	J	H	B	C	J	S	I	R	D
F	P	O	R	T	O	D	A	S	P	A	R	T	E	S

ENCIMA (Above)

DESPUÉS (After)

CONTRA (Against)

ENTRE (Among/Between)

ALREDEDOR DE (Around)

AL FINAL DE (At the end of)

DEBIDO A (Because of)

ANTES (Before)

DETRÁS (Behind)

DEBAJO (Below)

ABAJO (Down)

POR TODAS PARTES (Everywhere)

EXCEPTO (Except)

LEJOS (Far)

DESDE (From)

DELANTE DE (In front of)

MÁS ALLÁ (Beyond)

DENTRO (Inside)

CERCA (Near)

AL LADO DE (Next to)

EN LA ESQUINA DE (On the corner of)

ENFRENTE (Opposite)

FUERA (Outside)

POR DELANTE (Past)

A TRAVÉS DE (Through)

11

Los adverbios: Adverbs

O	S	E	M	A	N	A	L	M	E	N	T	E	X	O
K	I	Ñ	U	É	M	Í	C	Ü	O	O	N	Ü	R	O
E	A	R	O	Á	Ú	U	Í	L	L	A	A	E	T	K
T	Ñ	R	E	T	Ó	Q	Y	Á	M	D	J	N	M	O
N	S	Ü	O	S	É	A	B	Á	O	N	O	F	V	D
E	O	I	O	H	N	U	N	C	A	R	F	E	D	A
M	N	Á	E	A	A	E	Q	R	P	M	Ó	L	E	D
A	E	T	F	M	Ü	H	T	R	N	K	W	I	D	I
D	M	H	O	Y	P	X	S	Q	O	J	S	Z	N	U
I	J	Í	A	N	E	R	M	Í	U	P	L	M	O	C
P	A	Y	Ü	L	C	A	E	O	R	T	N	E	D	N
Á	E	U	E	A	Ñ	E	P	Ü	R	M	P	N	K	O
R	D	N	L	A	Ú	V	S	Á	M	A	J	T	Ú	C
R	E	Í	N	O	D	N	A	U	C	N	Ú	E	L	Á
P	H	A	S	E	T	N	E	M	A	I	R	A	I	D

DIARIAMENTE (Daily)

NUNCA (Never)

AHORA (Now)

PRONTO (Soon)

HOY (Today)

MAÑANA (Tomorrow)

ENTONCES (Then)

SEMANALMENTE (Weekly)

CUANDO (When)

AYER (Yesterday)

RÁPIDAMENTE (Quickly)

FELIZMENTE (Happily)

EN EL EXTRANJERO (Abroad)

SIEMPRE (Always)

ALLÍ (There)

MENOS (Less)

AQUÍ (Here)

DENTRO (Inside)

POR QUÉ (Why)

EN SERIO (Really)

MUY (Very)

DONDE (Where)

CON CUIDADO (Carefully)

JAMÁS (Ever)

12

Viajes: Travel

O	Ñ	H	I	E	R	N	T	R	E	C	O	N	O	C
A	D	S	S	D	Í	O	R	R	O	J	E	M	A	F
Í	Í	A	A	A	I	V	E	C	V	S	U	A	Í	A
M	R	R	T	V	Z	O	H	P	R	E	Ú	T	R	I
O	C	A	Á	I	I	E	M	É	A	É	C	S	A	C
N	S	C	R	X	S	T	L	A	B	S	A	E	T	N
O	U	I	P	A	Z	I	R	A	O	P	I	G	S	E
R	I	T	T	U	M	O	V	O	R	É	N	V	U	U
T	N	C	C	I	E	E	G	E	P	U	K	N	G	C
S	T	A	U	A	O	D	N	L	T	E	T	Ü	Á	E
A	E	R	L	O	J	D	O	T	U	N	D	A	S	R
G	R	P	T	J	E	A	L	Á	E	G	E	T	N	F
T	É	Ú	U	R	A	J	I	I	V	Q	A	G	O	Ñ
Ú	S	A	R	N	S	E	N	V	E	D	Ñ	R	W	V
Ó	Q	P	A	M	H	I	S	T	O	R	I	A	P	F

¿Viaja con *FRECUENCIA*?
(Do you travel often?)

RARAMENTE viajo.
(I travel rarely.)

Viajo a *VECES*.
(I travel occasionally.)

Viajo todo lo que *PUEDO*.
(I travel as much as I can.)

¿Qué sitios ha *VISITADO*?
(Where have you visited?)

He *ESTADO* en …
(I have been to …)

¿Cuál es el *MEJOR* sitio en el que ha estado? (Where is the best place you have been?)

¿Cuál es el peor *SITIO* en el que ha estado? (Where is the worst place you have been?)

El mejor *LUGAR* que he visitado es …
(The best place I have visited is …)

El *PEOR* lugar que he visitado es …
(The worst place I have visited is …)

¿Qué le gusta hacer cuando *VIAJA*?
(What do you like to do when you travel?)

Me gusta ver los sitios de *INTERÉS*.
(I like to see the sights.)

Me gusta *CONOCER* la *CULTURA*.
(I like to learn about the culture.)

Me gusta conocer la *HISTORIA*.
(I like to learn about the history.)

Me gusta *PROBAR* la *GASTRONOMÍA* local.
(I like to try the local cuisine.)

Me gusta *APRENDER* el *IDIOMA*.
(I like to learn the language.)

Me gusta conocer a la *GENTE*.
(I like to meet the people.)

Me gusta ver la *NATURALEZA*.
(I like to see nature.)

Me gusta *PRACTICAR* actividades *DEPORTIVAS*.
(I like to do sporting activities.)

¿Qué le *GUSTARÍA* visitar?
(Where would you like to visit?)

13

Viajes en avión: Air Travel

A	S	I	E	N	T	O	B	I	L	L	E	T	E	I
A	D	I	G	O	C	E	R	Á	K	E	U	E	J	K
S	A	O	T	I	S	E	C	E	N	H	Q	N	A	E
O	O	T	V	U	E	L	O	E	T	F	R	P	P	T
L	E	T	A	R	H	Ó	I	R	E	Á	A	R	I	N
U	T	I	I	F	L	T	D	F	N	T	B	I	U	E
B	R	E	T	R	A	S	O	Y	G	U	M	M	Q	R
Í	O	S	K	H	R	Z	Ú	T	O	R	E	E	E	E
T	P	A	Ñ	E	S	A	A	U	A	I	T	R	G	F
S	A	D	I	L	A	S	C	D	A	S	G	A	Ñ	E
E	S	A	D	E	N	C	U	E	N	T	R	O	S	R
V	A	G	Ó	D	S	Y	X	M	X	A	R	T	A	P
Y	P	E	N	T	A	R	J	E	T	A	Á	E	Q	G
É	F	L	D	F	A	C	T	U	R	A	R	J	U	N
I	Ó	L	E	I	Ü	O	T	A	F	A	Z	A	Í	P

¿Qué terminal *NECESITO*?
(What terminal do I need?)

¿*DÓNDE* tengo que facturar?
(Where do I check in?)

¿Dónde *ESTÁ* el *VESTÍBULO* de *LLEGADAS*?
(Where is the arrivals hall?)

¿Dónde está el vestíbulo de *SALIDAS*?
(Where is the departures hall?)

¿Dónde está la *PUERTA* de embarque?
(Where is the boarding gate?)

Mi *ASIENTO* está en clase *TURISTA*.
(My seat is in economy.)

Mi asiento está en clase *PREFERENTE*. (My seat is in business class.)

Mi asiento está *EN PRIMERA* clase.
(My seat is in first class.)

AQUÍ tiene mi *PASAPORTE*.
(Here is my passport.)

Aquí *TIENE* mi *BILLETE*.
(Here is my ticket.)

Aquí tiene mi *TARJETA* de *EMBARQUE*.
(Here is my boarding pass.)

Aquí tiene mi *EQUIPAJE*.
(Here is my luggage.)

Tengo equipaje que *FACTURAR*. (I have luggage to check.)

No *TENGO* que facturar equipaje.
(I do not have any checked luggage.)

El *DUTY FREE* (Duty free)

RECOGIDA de equipajes
(Baggage claim)

El *AZAFATO* / la *AZAFATA*
(Flight attendant)

¿Tiene *RETRASO* el *VUELO*?
(Is the flight delayed?)

¿Dónde están los *CARRITOS*?
(Where are the carts?)

No *ENCUENTRO* mi equipaje.
(I cannot find my luggage.)

Necesito *AYUDA*.
(I need assistance.)

14

Los desplazamientos: Getting Around

R	O	V	A	F	R	O	P	N	Ü	E	Q	U	U	Q
O	M	I	X	Ó	R	P	Í	Ó	A	C	H	P	Ü	Ó
A	N	E	R	T	C	S	Á	O	É	R	R	C	O	Á
P	I	X	A	R	Ú	U	E	I	I	I	P	Í	O	A
Ó	É	K	E	B	E	A	K	M	M	R	Q	M	V	C
Z	T	F	O	L	M	T	P	E	R	T	A	I	O	Á
Í	P	T	X	K	A	I	R	E	R	A	Ó	R	J	C
C	U	Á	N	T	O	A	B	A	A	N	S	Ó	O	Q
A	C	Q	Ó	D	Y	I	N	L	S	R	D	I	F	H
O	W	V	A	S	L	V	Q	Ó	N	O	M	J	V	O
M	Q	H	A	L	Í	U	E	D	I	O	S	E	R	A
I	Í	L	E	A	I	E	U	Ó	Q	X	D	E	T	N
T	E	T	R	L	Ú	L	V	N	B	E	I	E	U	C
L	E	J	A	D	Á	T	E	D	V	U	J	T	U	A
Ú	Ú	R	L	C	Z	A	Ú	E	Q	U	L	V	P	P

Un billete, *POR FAVOR*.
(One ticket, please.)

¿A qué hora pasa el *PRÓXIMO* autobús?
(What time is the next bus?)

¿A qué hora *SALE* el tren?
(What time is the train?)

¿A qué hora pasa el próximo *TRANVÍA*?
(What time is the next tram?)

¿*PUEDO* reservar un billete de *AVIÓN*?
(Can I book a flight?)

¿Puedo *ALQUILAR* un *COCHE*? (Can I hire a car?)

¿Podría *AVISARME* cuando lleguemos a …?
(Can you tell me when we get to …?)

¿A qué hora sale el primer *AUTOBÚS*?
(What time is the first bus?)

¿A qué hora sale el *ÚLTIMO* tren?
(What time is the last train?)

¿Cuánto *RETRASO* tiene?
(How long will we be delayed?)

Quiero *APEARME* en …
(I would like to get off at …)

QUIERO apearme *AQUÍ*.
(I want to get off here.)

¿*CUÁNTO* es?
(How much is it?)

¿*DÓNDE* se *COMPRAN* los billetes?
(Where can I buy a ticket?)

Un *BILLETE* de ida
(One-way ticket)

Un billete de ida y *VUELTA*
(Return ticket)

Un billete de *PRIMERA* clase
(First-class ticket)

¿Tiene un *HORARIO*?
(Do you have a timetable?)

¿Es este el *TREN* que va a …?
(Is this the train to …?)

15

La frontera: Border Crossing

Y	Ñ	V	F	M	E	R	L	Ó	T	Í	Z	O	C	A
A	F	A	E	D	Í	I	E	Y	U	R	D	U	O	J
Z	P	C	C	P	C	N	I	Q	A	N	U	Q	N	S
F	O	A	H	Y	E	U	A	L	E	E	A	O	T	A
P	R	C	A	I	N	F	O	I	A	G	H	D	R	Í
A	F	I	T	A	É	J	T	Ó	Í	O	U	A	O	D
S	A	O	I	D	O	N	W	T	B	C	G	E	L	E
A	V	N	A	U	E	E	Ó	S	I	I	Ó	N	O	D
P	O	E	O	A	T	A	M	T	C	O	Ü	A	G	E
O	R	S	J	N	E	Á	Í	Í	Ü	S	V	L	L	C
R	O	Ó	E	A	L	N	Ó	M	O	I	É	P	A	L
T	P	G	B	Í	N	V	I	S	A	D	O	Q	R	A
E	A	N	V	H	A	W	Q	J	L	Ñ	E	R	Q	R
E	S	T	O	E	D	O	E	M	R	A	D	U	Y	A
H	Y	H	Y	P	A	R	T	I	D	A	Ó	F	Q	R

La *ADUANA* (Customs)

El *AGENTE* / la agente (Official)

El *CONTROL* de pasaportes
(Passport Control)

Me *QUEDO* … *DÍAS*.
(I am here for … days.)

No he *PLANEADO* la *FECHA* de *PARTIDA*.
(I do not have a planned departure date.)

El *PASAPORTE* / el visado, *POR FAVOR*.
(Your passport/visa, please.)

Aquí *TIENE* mi pasaporte / *VISADO*.
(Here is my passport / visa.)

VOY a … (I am going to …)

Estoy aquí en *VIAJE* de *NEGOCIOS*.
(I am here on business.)

Estoy *AQUÍ* de *VACACIONES*.
(I am here on holiday.)

Me *ALOJO* en …
(I'm staying at …)

No tengo *NADA* que *DECLARAR*.
(I have nothing to declare.)

Tengo *ALGO* que declarar.
(I have something to declare.)

Esto es *MÍO*.
(That is mine.)

ESTO no es mío.
(That is not mine.)

No *ENTIENDO*.
(I do not understand.)

¿Puede *AYUDARME*?
(Can you help me?)

16

Direcciones: Directions

M	I	A	A	H	C	E	R	E	D	E	S	A	E	R
Á	Á	P	Í	I	E	D	E	T	R	Á	S	D	E	V
C	A	F	Q	A	N	I	U	Q	S	E	T	E	E	S
M	O	Q	O	W	F	Ú	Y	S	O	J	E	L	M	O
Ú	P	G	B	L	R	S	Ú	B	O	T	U	A	R	Ñ
C	O	U	E	R	E	Ü	B	É	A	V	N	N	A	E
M	Ñ	D	M	R	N	M	N	U	C	W	O	T	D	I
Í	I	B	N	Í	T	Z	R	Q	R	M	S	E	U	Z
U	U	N	Á	A	E	J	U	Á	E	Ü	U	D	Y	Q
S	A	Q	U	U	D	S	K	O	C	P	G	E	A	U
A	Ú	B	A	T	E	N	D	B	Z	I	Z	A	Í	I
R	Ú	Ü	S	Q	O	Ü	A	L	L	A	D	O	D	E
O	O	S	Í	D	I	S	C	U	L	P	E	N	S	R
P	K	R	N	O	T	C	E	R	O	D	O	T	I	D
E	N	E	I	T	Ó	A	Á	Ñ	Y	Ñ	Á	H	Á	A

DISCULPE. (Excuse me.)

¿Puede *AYUDARME*?
(Can you help me?)

¿*POR* aquí se va a …?
(Is this the way to the …?)

¿*ESTÁ* lejos? (Is it far?)

¿Se *PUEDE* ir *ANDANDO*?
(Is it within walking distance?)

No está *LEJOS*.
(It is not far away.)

Está a *UNOS* diez *MINUTOS*.
(It is about 10 minutes.)

TIENE que *COGER* un *AUTOBÚS*.
(You need to take a bus.)

¿Puede *INDICÁRMELO* (en el *MAPA*)?
(Can you show me (on the map)?)

DETRÁS DE … (Behind …)

AQUÍ (Here)

DELANTE DE …
(In front of …)

La *IZQUIERDA* (Left)

La *DERECHA* (Right)

CERCA (Near)

AL LADO DE … (Next to …)

ENFRENTE DE …
(Opposite …)

TODO RECTO
(Straight ahead)

La *ESQUINA* (Corner)

17 Alquiler de coches y bicicletas: Car and Bike Rental

S	I	L	L	I	T	A	O	N	G	I	C	Ó	A	Á
J	C	D	Ñ	B	Ü	Q	C	R	Q	U	I	E	R	O
N	A	A	Í	N	R	A	L	I	U	Q	L	A	A	W
Ó	S	U	C	A	R	N	É	O	Ñ	G	M	V	P	U
I	C	T	R	C	S	L	C	I	Ó	Y	E	E	Á	M
S	O	O	I	N	C	L	U	Y	E	D	D	S	I	O
I	P	M	C	A	N	D	A	D	O	Ó	Q	P	G	S
M	Z	Á	U	J	A	R	T	I	E	N	E	A	O	T
S	K	T	D	S	A	R	É	Í	Ó	D	A	Ñ	P	R
N	É	I	N	S	U	Ú	E	C	Í	E	I	S	B	A
A	A	C	O	N	D	I	C	I	O	N	A	D	O	D
R	D	O	C	U	Á	N	T	O	S	C	J	V	M	O
T	B	I	C	I	C	L	E	T	A	I	H	T	B	R
K	I	L	O	M	E	T	R	A	J	E	U	E	A	O
Q	Í	M	O	T	O	Í	R	E	L	I	U	Q	L	A

¿*DÓNDE* está el *MOSTRADOR* de *ALQUILER* de coches? (Where is the car rental desk?)

QUIERO alquilar un *COCHE*. (I want to rent a car.)

Quiero alquilar una *MOTO*. (I want to rent a motorcycle.)

Quiero *ALQUILAR* una *BICICLETA*. (I want to rent a bicycle.)

Quiero alquilar una *VESPA*. (I would like to rent a scooter.)

PARA … *DÍAS*. (For … days.)

QUISIERA un coche *AUTOMÁTICO*. (I would like an automatic.)

Quisiera un coche con la *TRANSMISIÓN* manual. (I would like a manual transmission.)

¿Tiene aire *ACONDICIONADO*? (Does it have air conditioning?)

¿*CUÁNTO* cuesta? (How much does it cost?)

¿*INCLUYE* el *KILOMETRAJE*? (Does that include mileage?)

¿Incluye el *SEGURO*? (Does that include insurance?)

Aquí *TIENE* mi *CARNÉ* de *CONDUCIR*. (Here is my permit to drive.)

¿Tiene un *CASCO*? (Do you have a cycle helmet?)

¿Tiene un *CANDADO*? (Do you have a lock?)

¿Tiene una *BOMBA* para la bici? (Do you have a pump?)

¿Tiene una *SILLITA* de *NIÑOS*? (Do you have a child seat?)

18

Las partes de un coche: Parts of a Car

R	Z	N	V	O	L	A	N	T	E	D	C	A	P	Ó
O	T	N	E	I	S	A	R	E	S	T	É	R	E	O
R	E	P	O	S	A	C	A	B	E	Z	A	S	S	M
A	P	A	R	A	C	H	O	Q	U	E	S	Ó	Á	N
V	T	K	G	Í	F	A	Í	R	E	T	A	B	G	Ó
E	Í	R	J	A	J	R	P	N	O	X	Á	L	C	I
L	Q	C	E	R	B	I	D	E	F	R	E	N	O	S
O	I	N	O	U	A	R	U	D	A	R	R	E	C	I
C	R	T	H	P	P	T	I	R	I	U	D	H	T	M
Í	O	A	R	Ñ	F	Á	R	A	E	L	U	C	E	S
M	E	A	F	F	O	D	I	D	N	E	C	N	E	N
E	B	P	O	R	E	D	A	C	I	P	L	A	S	A
T	P	A	R	A	B	R	I	S	A	S	L	D	J	R
R	S	E	G	U	R	I	D	A	D	T	K	U	S	T
O	R	E	T	E	L	A	M	A	N	I	L	L	A	Z

El *MALETERO* (Trunk/Boot)

El tubo de *ESCAPE* (Exhaust)

La *RUEDA* (Wheel)

La *PUERTA* (Door)

El *MOTOR* (Engine)

El *PARABRISAS* (Windshield)

El *CAPÓ* (Hood/Bonnet)

El *FARO* delantero (Headlight)

El *PARACHOQUES* (Bumper)

El *REPOSACABEZAS* (Headrest)

El cinturón de *SEGURIDAD* (Seatbelt)

La *MANILLA* (Handle)

El *ASIENTO* delantero (Front seat)

La *CERRADURA* de la puerta (Door lock)

El *AIRBAG* (Airbag)

El *ESTÉREO* (Stereo)

La *TRANSMISIÓN* (Transmission)

La *BATERÍA* (Battery)

El *VELOCÍMETRO* (Speedometer)

El *SALPICADERO* (Dashboard)

El *CLÁXON* (Horn)

El *VOLANTE* (Steering wheel)

El *AIRE* acondicionado (Air conditioning)

Las *LUCES* (Lights)

Los *FRENOS* (Brakes)

El *ENCENDIDO* (Ignition)

19

Al volante: Driving

A	N	O	D	I	B	I	H	O	R	P	E	O	E	O
V	E	L	O	C	I	D	A	D	A	S	S	A	C	Í
T	A	L	L	E	R	D	O	V	P	A	C	I	A	Ñ
P	C	K	M	Í	A	D	E	O	P	E	N	A	O	B
É	A	K	J	R	I	R	T	Ü	I	Á	C	T	B	R
Y	R	Ó	T	N	I	S	T	T	C	C	I	S	S	A
C	R	N	E	A	L	U	E	E	I	S	O	I	A	C
O	E	T	D	E	Í	Ú	M	D	E	A	N	P	G	R
M	T	O	N	T	M	Ü	E	C	Ú	M	A	O	L	A
P	E	Ü	Ó	W	I	N	E	H	Ñ	I	C	T	A	P
R	R	O	D	I	T	N	E	S	C	N	R	U	S	A
U	A	Z	Ñ	E	E	J	E	T	Ñ	O	E	A	Á	A
E	E	N	T	R	A	R	A	U	S	R	C	T	U	L
B	J	I	D	E	S	V	Í	O	G	E	Q	G	N	Ó
E	L	M	P	E	L	I	G	R	O	A	A	Ó	G	Í

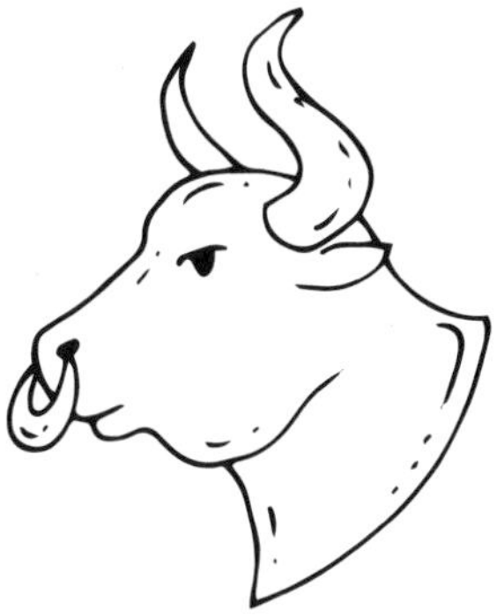

¿Esta *CARRETERA* lleva a …?
(Is this the road to …?)

¿*DÓNDE* está el *TALLER* más *CERCANO*?
(Where is the nearest garage?)

COMPRUEBE el *ACEITE.*
(Can you check the oil?)

Compruebe el *AGUA.*
(Can you check the water level?)

¿Puedo *APARCAR* aquí?
(Can I park here?)

NECESITO un *MECÁNICO.*
(I need a mechanic.)

El *COCHE* se ha *AVERIADO.*
(The car has broken down.)

He *TENIDO* un *ACCIDENTE.*
(I have had an accident.)

¿*CUÁL* es el *LÍMITE* de *VELOCIDAD*?
(What is the speed limit?)

La *ENTRADA* (Entrance)

PROHIBIDO aparcar
(No parking)

Ceda el *PASO* (Give way/Yield)

El *DESVÍO* (Detour)

SENTIDO único (One way)

AMINORE la velocidad
(Slow down)

El *PEAJE* (Toll)

El *PELIGRO* (Danger)

Prohibido *ENTRAR* (No entry)

EL STOP (Stop)

SALGA de la *AUTOPISTA*
(Exit freeway)

20

Alojamiento: Accommodation

E	U	G	R	E	B	L	A	S	A	T	N	Á	U	C
E	M	H	A	B	I	T	A	C	I	Ó	N	R	X	S
M	V	A	E	L	B	I	S	E	C	C	A	H	A	A
R	C	C	L	A	U	D	I	V	I	D	N	I	M	D
A	O	E	O	T	N	Á	U	C	U	E	S	T	A	A
D	M	R	O	A	H	Í	C	E	R	C	A	L	T	T
N	P	E	D	T	V	O	R	T	S	I	G	E	R	I
E	L	N	A	Á	N	R	S	R	A	R	N	T	I	C
M	E	E	Ó	D	E	E	E	T	H	M	I	O	M	A
O	T	I	Ñ	E	I	V	I	S	A	E	P	H	O	P
C	O	T	D	T	C	L	É	S	E	L	M	E	N	A
E	S	N	G	E	O	S	A	H	O	R	A	D	I	C
R	Ó	Ú	A	N	A	M	E	S	A	N	C	E	O	S
D	X	N	Q	G	N	O	C	H	E	Y	H	U	N	I
Ü	U	E	E	O	P	E	N	S	I	Ó	N	P	P	D

¿*PUEDE* decirme *DÓNDE* hay una *PENSIÓN*? (Can you tell me where there is a bed and breakfast?)

¿Puede decirme dónde *HAY* un *CAMPING*? (Can you tell me where there is a campsite?)

¿Puede *DECIRME* dónde hay un *HOSTAL*? (Can you tell me where there is a guest house?)

¿Puede decirme dónde hay un *ALBERGUE* juvenil? (Can you tell me where there is a youth hostel?)

¿Puede decirme dónde hay un *HOTEL*? (Can you tell me where there is a hotel?)

¿Puede *RECOMENDARME* algo *CERCA*? (Can you recommend somewhere nearby?)

¿*TIENE* una habitación *INDIVIDUAL*? (Do you have a single room?)

¿Tiene *UNA* habitación de *MATRIMONIO*? (Do you have a double room?)

¿Tiene una habitación *ACCESIBLE* para personas *DISCAPACITADAS*? (Do you have an accessible room?)

¿Tiene una *HABITACIÓN* familiar? (Do you have a family room?)

¿A qué *HORA* hay que *HACER* el *REGISTRO* de *SALIDA*? (What time is checkout?)

TENGO una *RESERVA*. (I have a reservation.)

Lo *SIENTO*, estamos *COMPLETOS*. (I am sorry we are full.)

¿Para *CUÁNTAS* noches? (For how many nights?)

¿*CUÁNTO* cuesta por *NOCHE*? (How much is it per night?)

¿Cuánto *CUESTA* por *SEMANA*? (How much is it per week?)

21

En la habitación del hotel: In the Hotel Room

R	C	Y	A	H	S	O	F	U	N	C	I	O	N	A
O	U	C	O	N	T	R	A	S	E	Ñ	A	B	R	E
D	Á	H	A	B	I	T	A	C	I	Ó	N	Ñ	Ñ	O
A	L	Ó	M	B	W	S	E	C	A	H	E	R	U	I
L	A	U	D	I	V	I	D	N	I	C	N	N	P	N
I	O	D	I	U	R	G	N	Ñ	C	Ó	A	A	F	O
T	Á	J	Z	S	Ó	E	P	T	I	U	L	L	N	M
N	V	R	A	F	A	R	Q	C	E	M	E	Ú	O	I
E	E	A	E	R	Í	L	C	U	O	R	M	N	G	R
V	N	I	V	Í	O	A	I	H	I	E	N	Á	T	T
A	T	L	A	O	F	H	A	D	R	S	E	E	Ü	A
I	A	I	L	E	Ñ	D	A	O	A	S	I	K	T	M
C	N	M	L	H	A	Ñ	E	U	Q	E	P	E	M	Ó
U	A	A	A	Í	Z	R	O	D	A	C	E	S	R	R
S	C	F	O	C	T	E	L	E	V	I	S	O	R	A

En la *HABITACIÓN* hace mucho *CALOR*.
(The room is too hot.)

En la habitación *HACE* mucho *FRÍO*.
(The room is too cold.)

En la habitación *HAY* mucho *RUIDO*.
(The room is too noisy.)

La habitación es demasiado *PEQUEÑA*.
(The room is too small.)

La habitación está *SUCIA*.
(The room is dirty.)

El *TELEVISOR* no *FUNCIONA*.
(The television does not work.)

La *CALEFACCIÓN* no funciona.
(The heater does not work.)

El *VENTILADOR* no funciona.
(The fan does not work.)

La *VENTANA* no se *ABRE*.
(The window does not open.)

¿*CUÁL* es la *CONTRASEÑA* de *INTERNET*?
(What is the internet password?)

¿A qué *HORA* hay que hacer el *REGISTRO* de *SALIDA*?
(What time do I need to check out?)

¿Me da la *CUENTA*, por favor?
(May I have the bill please?)

QUISIERA una habitación *INDIVIDUAL*.
(I would like a single room.)

Quisiera *UNA* habitación de *MATRIMONIO*.
(I would like a double room.)

Quisiera una habitación *FAMILIAR*.
(I would like a family room.)

El *NÚMERO* de la habitación
(Room number)

La *LLAVE* (Key)

El *SECADOR* (Hairdryer)

La ropa de *CAMA* (Bedding)

La *ALMOHADA* (Pillow)

22

El camping: Camping

E	Q	L	D	A	D	H	Y	S	A	Z	A	L	P	E
H	S	P	E	F	U	B	A	S	U	R	A	D	A	É
C	E	R	S	P	C	G	H	C	P	S	Í	O	Í	X
O	M	E	T	A	H	Á	A	O	O	A	I	Y	R	M
N	A	S	Á	R	A	U	N	M	S	C	R	E	E	A
C	N	T	N	A	S	G	E	C	E	G	D	J	D	C
U	A	A	A	Í	O	R	R	R	E	N	Á	A	N	A
Á	V	R	A	D	E	U	P	W	Ó	I	I	L	A	M
N	R	M	F	U	N	A	P	D	Ñ	P	N	C	V	P
T	É	E	Q	N	C	E	S	I	Í	M	C	I	A	A
O	A	T	S	E	U	C	I	E	S	A	L	C	L	R
C	O	C	H	E	J	U	N	T	O	C	U	E	L	S
R	E	L	I	U	Q	L	A	P	Í	S	I	R	Ó	C
E	L	E	C	T	R	I	C	I	D	A	D	N	Z	Z
O	N	A	C	R	E	C	R	A	C	R	A	P	A	Z

¿*DÓNDE* está el *CAMPING* más *CERCANO*?
(Where is the nearest campsite?)

¿Podemos *ACAMPAR* aquí?
(Can we camp here?)

¿Puedo *APARCAR* el *COCHE JUNTO* a la tienda?
(Can I park next to my tent?)

¿Tienen *PLAZAS*?
(Do you have any vacancies?)

¿*CUÁNTO* cuesta por *NOCHE*?
(What is the charge per night?)

¿Cuánto *CUESTA* a la *SEMANA*?
(What is the charge per week?)

¿Está la *ELECTRICIDAD* incluida en el *PRECIO*?
(Does the price include electricity?)

¿Está el *AGUA* caliente *INCLUIDA* en el precio?
(Does the price include hot water?)

QUEREMOS quedarnos … *DÍAS*.
(We want to stay for … days.)

¿Dónde *ESTÁN* los *ASEOS*?
(Where are the restrooms?)

¿Dónde *PONGO* la *BASURA* / la basura *PARA* el *RECICLAJE*?
(Where should I put my garbage/recycling?)

¿Hay *DUCHAS*?
(Are there showers?)

¿Hay *LAVANDERÍA*?
(Are there laundry facilities?)

¿Hay tiendas de *ALQUILER*?
(Are there tents for rent?)

¿*HAY* una *TIENDA*?
(Is there a store?)

¿Hay *PISCINA*?
(Is there a swimming pool?)

¿Pueden *PRESTARME* un / una …?
(Could I borrow a/an …?)

23

De compras: Shopping

D	Ó	N	D	E	N	A	V	L	E	U	V	E	D	V
V	A	D	X	V	P	X	R	Ü	Z	D	Ó	O	O	E
Q	C	D	E	O	T	C	E	F	E	D	O	L	P	O
G	E	M	R	S	Ú	S	O	L	A	G	E	R	U	R
Z	P	V	A	É	C	T	Ñ	E	T	M	I	E	E	E
O	T	É	N	Ú	B	A	N	I	R	Y	D	V	D	N
D	A	Z	I	O	C	E	M	É	É	A	D	L	E	I
N	N	É	L	Í	I	U	V	B	D	L	H	O	N	D
A	L	S	P	T	O	L	Á	I	I	Ú	D	V	R	O
R	A	N	A	U	O	T	M	N	Ú	A	M	E	U	T
I	X	H	U	V	E	O	M	I	T	H	R	D	B	I
M	H	R	N	C	C	D	G	N	Ñ	O	Ü	L	P	D
O	Ó	E	T	N	A	B	O	R	P	M	O	C	O	É
C	L	W	D	U	X	C	O	R	E	I	U	Q	E	R
E	L	O	T	I	S	E	C	E	N	S	O	L	O	C

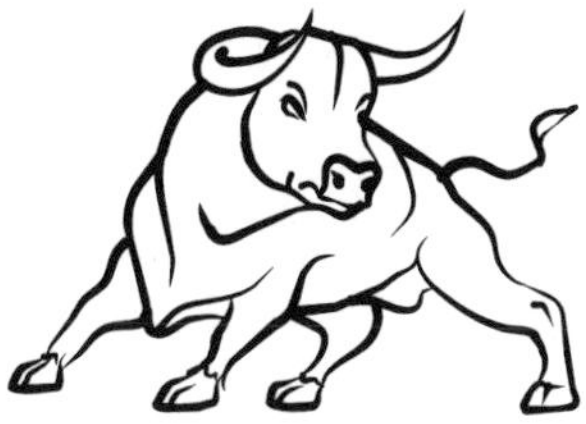

¿*DÓNDE* hay un … / una …?
(Where is a …?)

¿Dónde se *PUEDEN* comprar *REGALOS*?
(Where can I buy gifts?)

¿Dónde se puede comprar *COMIDA*?
(Where can I buy food?)

¿Dónde se puede comprar *ROPA*?
(Where can I buy clothing?)

¿*CUÁNTO* vale?
(How much is this?)

QUIERO comprar …
(I would like to buy …)

SOLO estoy *MIRANDO*.
(I am just looking.)

¿Me da una *BOLSA*?
(Could I have a bag please?)

No *NECESITO* el *COMPROBANTE*, gracias.
(I do not need a receipt, thanks.)

¿Puede *ENVOLVÉRMELO*?
(Could I have it wrapped?)

TIENE un *DEFECTO*.
(It is faulty.)

¿*PUEDO* pagar al *CONTADO*?
(Can I pay with cash?)

¿*ACEPTAN* tarjetas de *CRÉDITO*?
(Do you accept credit cards?)

Quiero *DEVOLVERLO*.
(I would like to return it.)

Quiero que me *DEVUELVAN* el *DINERO*.
(I would like my money back, please.)

Quiero *DESCAMBIARLO*.
(I want to exchange this.)

24

Las tiendas y los servicios: Stores and Amenities

A	É	C	Q	S	A	Í	R	E	D	A	N	A	P	I
O	Í	V	J	C	O	M	E	S	T	I	B	L	E	S
G	M	R	O	C	O	L	M	A	D	O	S	E	P	G
F	A	S	E	S	C	O	A	A	Ñ	V	A	C	P	Ñ
L	A	Í	I	D	Ó	C	B	G	J	F	Í	Z	O	H
O	C	Í	R	R	N	N	J	F	E	A	R	A	A	S
R	D	O	R	E	U	A	Ü	M	Ó	R	E	P	Í	M
I	P	A	R	E	T	T	V	Í	S	M	T	A	R	B
S	G	R	C	R	T	S	Q	A	E	A	U	T	E	A
T	U	Ñ	O	R	E	E	A	N	L	C	C	E	R	N
E	K	B	O	Q	E	O	U	S	B	I	R	R	B	C
R	Ú	P	O	S	É	M	S	G	E	A	A	Í	I	O
Í	A	N	I	M	A	L	E	S	U	O	H	A	L	R
A	Í	R	E	T	E	F	A	C	M	J	C	É	L	A
P	E	S	C	A	D	E	R	Í	A	D	O	M	N	B

El *MERCADO* (Market)

La *PESCADERÍA* (Fish seller)

El *BANCO* (Bank)

La oficina de *CORREOS* (Post office)

El *COLMADO* (Grocery store)

La *PANADERÍA* (Bakery)

La *CHARCUTERÍA* (Delicatessen)

La *LIBRERÍA* (Bookstore)

La tienda de *MUEBLES* (Furniture store)

El *ESTANCO* (Tobacconist)

La *ZAPATERÍA* (Shoe store)

La tienda de *MODA* (Boutique)

La *FARMACIA* (Pharmacy)

La *SASTERÍA* (Tailor)

La tienda de *REGALOS* (Gift shop)

La tienda de *COMESTIBLES* (General store)

La *CAFETERÍA* (Café)

El *BAR* (Bar)

La oficina de *TURISMO* (Tourist information)

La *LAVANDERÍA* (Laundry)

La tienda de *ANIMALES* (Pet shop)

La tienda de *ROPA* (Clothes store)

La *FLORISTERÍA* (Florist)

La *JUGUETERÍA* (Toy shop)

La tienda de *DISCOS* (Music shop)

25 En la ferretería: At the Hardware Store

B	R	O	D	A	L	L	I	N	R	O	T	S	E	D
Ü	B	I	Y	V	Y	N	A	J	E	Á	P	A	Ó	M
I	R	A	Ü	T	C	U	H	C	U	V	R	H	A	J
A	I	N	R	Ó	Q	M	D	W	O	A	E	L	R	U
O	C	E	Q	N	N	C	B	A	P	R	I	Ü	R	S
A	O	C	A	W	I	E	P	O	R	C	B	T	E	T
S	L	E	Q	N	N	Z	L	A	A	M	N	A	G	O
E	A	S	E	E	O	L	M	T	V	H	E	L	L	P
L	J	I	I	L	I	I	E	B	É	Á	Í	A	A	B
G	E	T	V	T	E	S	C	R	A	D	C	D	R	C
N	V	O	R	N	C	M	O	N	Ü	J	Ú	R	B	I
I	J	A	T	L	E	P	A	P	U	V	I	O	Q	N
N	M	A	R	R	E	I	S	Z	Z	F	Ñ	L	A	C
E	S	O	V	A	L	C	B	R	O	C	H	A	B	E
Y	Í	W	T	O	R	N	I	L	L	O	S	E	D	L

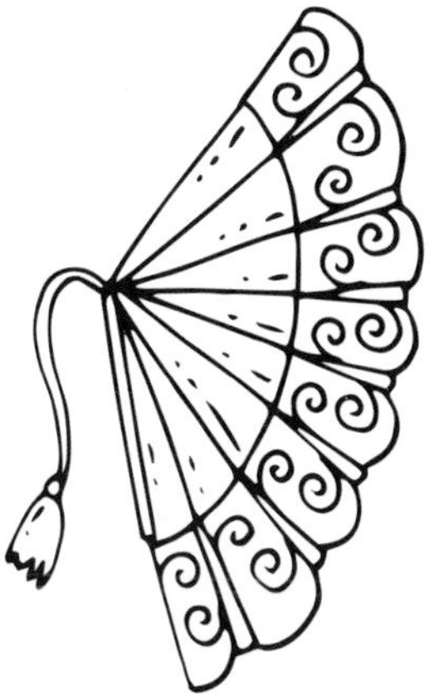

El *BRICOLAJE* (DIY)

Las *HERRAMIENTAS* (Tools)

¿*TIENE* algo *PARA* …?
(Have you got anything for …?)

¿Qué *NECESITO* para *ARREGLAR* …?
(What would I need to fix …?)

¿Puede *AYUDARME*?
(Can you help me?)

Esto es *JUSTO* lo que necesito.
(That is just what I need.)

¿Cómo *FUNCIONA*?
(How does this work?)

Necesito un *MARTILLO*.
(I need a hammer.)

El *MAZO* (Mallet)

La *SIERRA* (Saw)

La llave *INGLESA* (Spanner)

El *DESTORNILLADOR*
(Screwdriver)

El *PAPEL* de lija (Sandpaper)

La *LIJA* (File)

Los *CLAVOS* (Nails)

Los *TORNILLOS* (Screws)

Unos *ALICATES*
(A pair of pliers)

El *TALADRO* (Drill)

La *BROCA* (Drill bit)

El *CINCEL* (Chisel)

La *BROCHA* (Paintbrush)

El *BARNIZ* (Varnish)

26

In Madrid

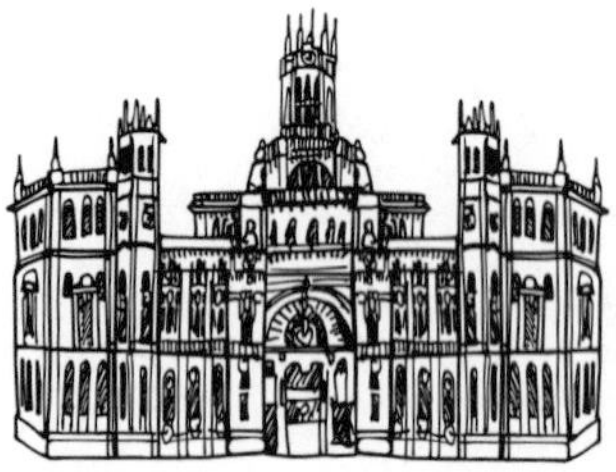

T	C	A	P	R	I	C	H	O	F	R	O	K	K	U
O	L	M	A	L	L	O	R	O	S	R	A	É	Á	D
N	A	B	A	R	R	I	O	Á	T	R	W	L	I	A
A	T	V	Ü	Y	T	F	Y	S	Q	E	A	R	C	J
I	S	Í	Ñ	E	O	D	A	U	L	C	D	I	Í	A
D	I	K	R	P	O	R	E	E	L	A	K	U	Z	B
L	R	K	R	B	L	O	U	A	M	É	R	I	C	A
A	C	A	E	E	L	G	C	I	B	E	L	E	S	V
G	D	D	K	Ó	I	B	E	R	N	A	B	É	U	A
O	H	Ñ	G	M	É	R	O	D	E	N	I	C	N	C
Ñ	D	I	N	M	X	M	T	S	T	A	Í	F	O	S
C	C	A	T	R	E	U	P	P	S	D	G	T	Z	H
O	S	N	A	G	R	A	N	V	Í	A	U	G	O	Y
Á	Ü	A	T	W	Ñ	A	L	M	U	D	E	N	A	B
M	O	N	T	A	Ñ	A	M	A	T	A	D	E	R	O

BARRIO de Las Letras (Literary quarter)

Calle de *CAVA BAJA* (Street)

Catedral Santa María la Real de La *ALMUDENA*

Centro de Arte Reina *SOFÍA* (Museum)

CINE DORÉ (Famous movie theater/cinema)

EL RASTRO (Market)

Estadio Santiago *BERNABÉU* (Stadium)

Fuente de *CIBELES* (Fountain)

GRAN VÍA (Street)

MATADERO (Arts Space)

Mercado de *SAN MIGUEL* (Market)

Museo *ARQUEOLÓGICO* Nacional (Museum)

Museo de *AMÉRICA*

Museo del *PRADO*

Museo Lázaro *GALDIANO*

Museo *SOROLLA*

Palacio de *CRISTAL* (Crystal Palace)

Palacio Real de *MADRID* (Royal Palace)

Parque El *CAPRICHO* (Park)

Parque de la *MONTAÑA*

Parque del *RETIRO*

Plaza de *ESPAÑA* (Square)

Plaza *MAYOR*

Puerta de *ALCALÁ* (Monument)

PUERTA del Sol (Square)

Restaurante Sobrino de *BOTÍN* (Restaurant)

Templo de *DEBOD* (Egyptian Temple)

27

En la peluquería: At the Hairdresser/Salon

D	I	E	R	A	N	E	C	E	S	I	T	O	Á	O
S	R	D	P	E	I	N	A	D	O	F	I	Á	U	N
O	R	E	U	Q	U	L	E	P	X	A	Y	A	R	I
O	M	U	R	Ú	E	C	A	L	I	E	N	T	E	F
N	T	P	E	S	R	I	Z	A	D	O	P	P	T	É
D	Ú	R	C	W	A	A	Z	O	Q	U	I	E	R	E
U	R	E	O	Ú	C	Ñ	C	Ñ	C	U	W	L	Ñ	A
L	O	F	R	C	E	E	U	R	G	O	S	U	F	R
A	H	L	T	Ú	S	A	B	R	A	B	P	Q	S	E
D	B	E	E	O	S	A	J	E	C	M	X	U	E	B
O	E	J	L	P	O	G	N	E	T	Á	C	E	C	R
V	A	O	S	S	A	T	N	U	P	Ñ	M	R	A	A
K	D	S	K	E	B	A	R	B	E	R	O	A	D	B
P	O	R	F	A	V	O	R	Q	U	I	E	R	O	C
H	A	C	E	R	M	E	Q	U	I	S	I	E	R	A

El *SECADOR* (Hairdryer)

El *PEINADO* (Hairstyle)

La toalla *CALIENTE* (Hot towel)

El *PELUQUERO* / la *PELUQUERA* (Hairdresser)

El *BARBERO* / la *BARBERA* (Barber)

Quiero la *RAYA* a un lado. (I want a side parting.)

Quiero *REFLEJOS*. (I would like highlights.)

Quiero que me corte las *PUNTAS*. (I would like a trim.)

QUIERO un corte de *PELO*. (I would like a haircut.)

Quiero *SECAR* y *MARCAR*. (I would like a blow dry.)

NECESITO que me *RECORTE* la *BARBA*. (I need a beard trim.)

Tengo el pelo *RIZADO*. (I have curly hair.)

TENGO el pelo *FINO*. (I have fine hair.)

Tengo el pelo *ONDULADO*. (I have wavy hair.)

Tengo el pelo *SECO*. (I have dry hair.)

¿*PUEDE* hacerme las *CEJAS*? (Can you do my eyebrows?)

¿Puede *HACERME* las *UÑAS*? (Can you do my nails?)

¿Cómo lo *QUIERE* de corto? (How short would you like it?)

Lo quiero muy *CORTO*. (I'd like it very short.)

Corte *SOLO* un *POCO*. (Just a little off.)

QUISIERA que me *DIERAN* hora, *POR FAVOR*. (I would like an appointment, please.)

28

La ropa: Clothes

C	H	A	Q	U	E	T	A	C	O	N	E	S	A	A
S	A	V	I	T	R	O	P	E	D	K	J	D	J	E
S	G	C	A	M	I	S	E	T	A	J	L	E	L	B
O	U	C	A	P	U	C	H	A	S	A	R	B	O	U
T	A	U	Ñ	B	C	L	O	E	F	S	A	T	O	F
A	N	Í	Ó	H	R	R	N	S	E	E	A	S	T	A
P	T	Q	A	B	E	I	A	Y	M	S	O	Q	N	N
A	E	L	O	R	T	N	G	R	A	N	H	A	U	D
Z	S	L	B	E	D	O	E	O	A	S	R	O	P	A
Í	S	M	C	A	D	P	Q	J	U	E	I	P	E	L
O	O	L	L	I	M	Ú	E	O	T	F	J	M	Ú	N
S	A	I	T	I	P	T	V	R	Í	Ü	S	A	A	G
C	A	S	U	J	E	T	A	D	O	R	C	É	R	C
S	E	R	E	T	Ü	C	S	V	E	S	T	I	R	T
V	N	Ó	R	U	T	N	I	C	S	O	T	R	O	C

Los *TEJANOS* (Jeans)

Los *ZAPATOS* (Shoes)

Los *TACONES* (High heels)

Las zapatillas *DEPORTIVAS* (Sports shoes)

Las *BOTAS* (Boots)

La *FALDA* (Skirt)

El *VESTIDO* (Dress)

La *CHAQUETA* (Jacket)

El *ABRIGO* (Coat)

El *JERSEY* (Sweater)

La chaqueta de *PUNTO* (Cardigan)

La *CAPUCHA* (Hood)

Los *CALCETINES* (Socks)

La *ROPA* interior (Underwear)

El *SUJETADOR* (Bra)

El *CINTURÓN* (Belt)

El *BOLSO* (Handbag)

El *SOMBRERO* (Hat)

Los *GUANTES* (Gloves)

La *CARTERA* (Wallet)

El *TRAJE* (Suit)

La *CAMISA* (Shirt)

La *CAMISETA* (T-shirt)

Los pantalones *CORTOS* (Shorts)

Las *SANDALIAS* (Sandals)

La *BUFANDA* (Scarf)

El *IMPERMEABLE* (Raincoat)

El *CHAL* (Shawl)

Las prendas de *VESTIR* (Clothing)

29

Comunicaciones: Communications

S	A	Í	R	E	J	A	S	N	E	M	U	S	Ü	T
I	E	E	L	E	C	T	R	Ó	N	I	C	O	J	Á
R	K	L	A	Á	N	G	O	T	I	S	E	C	E	N
A	E	B	L	O	N	O	F	É	L	E	T	I	P	F
L	B	E	H	O	L	A	H	N	Ó	I	V	A	D	C
B	N	W	Ó	I	S	T	Í	P	S	E	Q	L	Í	O
A	Ó	O	S	S	Á	E	O	P	T	U	U	E	G	N
H	Z	I	Í	Ü	G	N	O	O	E	R	A	S	A	E
O	U	T	P	J	E	R	S	T	E	F	A	R	M	X
R	B	I	O	R	T	E	E	N	Í	R	Á	M	E	I
E	E	S	S	Á	R	T	Ñ	S	O	B	R	E	S	Ó
M	Á	E	T	V	E	N	V	I	A	R	L	O	Ó	N
Ú	H	I	A	O	G	I	M	N	O	C	Í	P	C	M
N	L	A	L	D	I	R	E	C	C	I	Ó	N	Z	V
V	J	C	Y	A	R	E	I	S	I	U	Q	Q	Í	Z

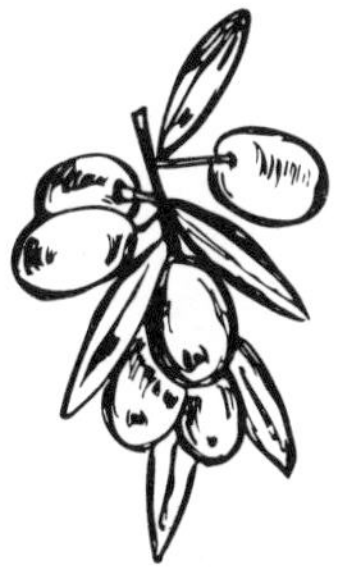

QUISIERA comprar *SELLOS*.
(I would like to buy some stamps please.)

Quisera *ENVIARLO* por *AVIÓN*.
(I would like to send this airmail.)

NECESITO un *SOBRE*.
(I need an envelope.)

Quisiera una *POSTAL*.
(I would like a postcard.)

El *PAQUETE* (Package)

La *MENSAJERÍA* (Courier)

El *BUZÓN* (Mailbox)

¿*DÍGAME*? (Who is speaking?)

HOLA, soy … (Hello, this is …)

Quisiera *HABLAR* con …
(I would like to speak to …)

El *SMARTPHONE*
(Smartphone)

El *PORTÁTIL* (Laptop)

La *INTERNET* (Internet)

El correo *ELECTRÓNICO*
(Email)

El *SITIO WEB* (Website)

Las redes *SOCIALES*
(Social media)

¿Me da su *NÚMERO* de *TELÉFONO*?
(What is your phone number?)

¿Me da su *DIRECCIÓN* de *CORREO* electrónico?
(What is your email address?)

Puede *PONERSE* en contacto *CONMIGO* en …
(You can contact me on/at …)

HAY mala *CONEXIÓN*.
(There is a bad connection.)

30

Dinero y servicios bancarios: Money and Banking

O	I	B	M	A	C	D	T	O	M	A	L	L	M	O
U	L	A	R	W	Ó	T	R	A	V	R	U	Y	V	D
C	Z	Ü	L	N	S	E	D	N	A	R	G	I	C	A
A	Ñ	O	D	E	U	P	O	I	Z	Y	T	U	A	D
M	T	E	A	O	Ü	T	C	C	B	C	Á	M	T	I
B	O	R	C	B	I	F	U	I	E	N	É	A	E	V
I	H	N	A	S	R	Ú	M	F	D	D	Z	Ü	J	L
A	A	O	E	G	Ó	E	E	O	Q	U	I	E	R	O
B	E	C	N	D	A	G	N	D	O	R	E	J	A	C
R	E	U	N	A	A	D	T	B	I	L	L	E	T	E
N	O	D	P	C	C	S	O	E	M	R	I	F	N	N
M	A	I	C	N	E	R	E	F	S	N	A	R	T	D
C	U	E	N	T	A	M	E	L	B	O	R	P	Ó	Z
T	E	R	I	R	A	U	T	C	E	F	E	L	É	R
Ñ	O	R	E	N	I	D	E	N	T	I	D	A	D	P

Quiero *EFECTUAR* una *TRANSFERENCIA*.
(I would like to arrange a transfer.)

Quiero dinero en *EFECTIVO*.
(I would like to get cash.)

QUIERO cambiar *DINERO*.
(I would like to exchange money.)

¿Me *CAMBIA* este *BILLETE* por monedas?
(I would like to get change for this note.)

Me *LLAMO* … (My name is …)

¿*CUÁNDO* cierra / *ABRE* el *BANCO*?
(When does the bank close/ open?)

¿Dónde está el *CAJERO* más *CERCANO*?
(Where is the nearest ATM?)

Hay un *PROBLEMA* con su *CUENTA*.
(There is a problem with your account.)

¿*PUEDO* ver su *DOCUMENTO* de *IDENTIDAD*?
(Can I see your ID, please?)

FIRME aquí.
(Please sign here.)

¿*DÓNDE* está la *OFICINA* de cambio de moneda?
(Where is the foreign exchange?)

Me he *OLVIDADO* del PIN.
(I've forgotten my PIN.)

El cajero se me ha *TRAGADO* la *TARJETA*.
(The ATM took my card.)

Necesito *CAMBIO* en monedas.
(I need small change.)

NECESITO billetes *GRANDES*.
(I need big bills.)

Necesito *MONEDAS*.
(I need coins.)

31

Negocios: Business

Ó	N	E	E	Ü	O	D	N	E	I	C	A	H	D	Ñ
T	I	E	M	P	O	R	T	V	A	M	O	S	R	S
K	A	O	O	Ú	A	T	E	J	R	A	T	E	N	N
É	I	S	S	E	S	G	N	U	N	Ú	M	E	R	O
G	C	I	O	R	R	S	G	D	N	O	F	L	O	N
O	N	T	C	Q	U	T	O	I	C	I	G	I	E	X
I	E	I	I	P	M	C	V	R	O	É	Ó	I	H	S
R	R	O	N	R	Z	I	Y	E	L	O	B	N	Y	M
A	E	W	Ó	U	S	S	K	C	O	E	S	T	O	Y
N	F	E	R	I	A	H	Á	C	S	X	N	V	V	F
I	N	B	T	I	E	N	E	I	S	T	A	T	N	X
M	O	A	C	C	M	Í	Í	Ó	B	O	Í	V	A	I
E	C	A	E	B	Ñ	P	H	N	A	O	L	U	B	D
S	R	K	L	T	E	L	É	F	O	N	O	A	Q	O
G	Í	T	E	Z	S	A	G	E	L	O	C	I	T	A

ESTOY en una *CONFERENCIA*.
(I am attending a conference.)

Estoy *HACIENDO* un *CURSO*.
(I am attending a course.)

VOY a una *REUNIÓN*.
(I am going to a meeting.)

Estoy en una *FERIA*.
(I am visiting a trade fair.)

Estoy en un *SEMINARIO*.
(I am attending a seminar.)

Estoy con mis *COLEGAS*.
(I am with my colleagues.)

Estoy *SOLO* / *SOLA*.
(I am alone.)

TENGO una *CITA* con …
(I have an appointment with …)

¿*TIENE* tarjeta de *VISITA*?
(Do you have a business card?)

AQUÍ tiene mi *TARJETA* de visita.
(Here is my business card.)

Este es mi *NÚMERO* de *TELÉFONO*.
(Here is my telephone number.)

Esta es mi *DIRECCIÓN* de correo *ELECTRÓNICO*.
(Here is my email address.)

Este es mi *SITIO WEB*.
(Here is my website.)

Ha *IDO* muy *BIEN*.
(That went very well.)

GRACIAS por su *TIEMPO*.
(Thank you for your time.)

¿*VAMOS* a *COMER*?
(Shall we go for a meal?)

32

Cine en español: Spanish Language Cinema

W	L	S	A	S	O	P	I	R	A	M	A	L	F	U
É	O	E	S	O	I	V	R	E	N	Ú	D	Á	Y	Ü
K	S	A	U	G	N	E	L	C	S	S	E	Ó	E	T
C	F	U	R	Q	F	B	E	R	E	I	N	A	S	M
A	Q	U	Í	M	A	D	O	R	P	Y	T	G	P	O
R	E	Q	A	F	I	T	P	R	B	B	R	A	I	T
E	J	D	M	A	U	I	A	U	D	E	O	N	N	O
Y	R	Ñ	R	U	E	I	O	A	E	E	N	É	A	C
E	J	I	K	N	R	L	B	X	S	B	A	I	Z	I
S	O	K	T	O	B	R	I	E	W	P	L	C	O	C
S	M	E	T	A	A	S	N	N	E	S	C	O	E	L
C	R	S	I	Z	T	U	O	F	O	E	L	Q	R	E
M	I	D	O	E	L	Ü	E	J	P	C	E	H	B	T
H	L	A	B	E	R	I	N	T	O	K	H	V	O	A
O	E	L	B	O	L	A	M	U	J	E	R	E	S	W

ABRE los *OJOS*
(Open Your Eyes)

AQUÍ entre nos (Between Us)

DIARIOS de *MOTOCICLETA*
(The Motorcycle Diaries)

El *ABRAZO* de la *SERPIENTE*
(Embrace of the Serpent)

EL BOLA (Pellet)

EL CLAN (The Clan)

El *ESPINAZO* del *DIABLO*
(The Devil's Backbone)

El *LABERINTO* del *FAUNO*
(Pan's Labyrinth)

La *CIÉNAGA* (The Swamp)

La *HISTORIA* oficial
(The Official Story)

La *LENGUA* de las *MARIPOSAS*
(Butterfly's Tongue)

Los *LUNES* al *SOL*
(Mondays in the Sun)

Los *REYES* del *PUEBLO* que no *EXISTE*
(Kings of Nowhere)

Mar *ADENTRO*
(The Sea Inside)

MUJERES al *BORDE* de un *ATAQUE* de *NERVIOS*
(Women on the Verge of a Nervous Breakdown)

Nueve *REINAS* (Nine Queens)

Todo *SOBRE* mi *MADRE*
(All About My Mother)

Una *NOCHE* (One Night)

33

Las profesiones: Occupations

L	C	Ú	Z	H	C	A	M	A	R	E	R	O	A	L
B	O	R	E	C	S	I	C	F	E	T	E	O	G	X
I	N	O	U	S	O	I	V	D	E	N	E	U	R	O
B	S	T	J	M	S	N	I	E	F	H	T	B	I	B
L	T	N	P	Ú	A	T	T	E	N	A	C	C	C	A
I	R	I	M	I	O	E	R	A	I	D	I	M	U	N
O	U	P	B	R	L	M	S	R	B	V	E	É	L	Q
T	C	T	A	W	E	O	A	T	R	L	C	D	T	U
E	T	G	Y	R	L	N	T	E	R	A	E	I	O	E
C	O	I	A	D	O	T	S	O	M	A	M	C	R	R
A	R	Á	A	I	Á	V	D	A	B	O	G	A	D	A
R	M	D	C	E	S	C	R	I	T	O	R	J	O	U
I	O	N	A	T	N	E	I	D	N	E	P	E	D	Ó
A	U	C	I	A	R	E	I	N	E	G	N	I	É	R
F	D	D	N	A	C	I	E	N	T	Í	F	I	C	O

El dependiente/ la *DEPENDIENTA* (Shop assistant)

El *VENDEDOR* / la vendedora (Salesperson)

El enfermero / la *ENFERMERA* (Nurse)

La *CAMARERA* (Waitress)

El *CAMARERO* (Waiter)

El *SERVICIO* de atención al cliente (Customer service)

El *CONTABLE* / la contable (Accountant)

El maestro / la *MAESTRA* (Teacher)

El médico / la *MÉDICA* (Doctor)

El banquero / la *BANQUERA* (Banker)

El *CONSTRUCTOR* / la constructora (Builder)

El *CHEF* / la chef (Chef)

El *CIENTÍFICO* / la científica (Scientist)

El funcionario / la *FUNCIONARIA* (Civil servant)

El ingeniero / la *INGENIERA* (Engineer)

El *AGRICULTOR* / la agricultora (Farmer)

El abrogado / la *ABOGADA* (Lawyer)

El bibliotecario / la *BIBLIOTECARIA* (Librarian)

El *JUEZ* / la jueza (Judge)

El *PINTOR* / la pintora (Painter)

El *ESCRITOR* / la escritora (Writer)

El editor / la *EDITORA* (Editor)

El músico / la *MÚSICA* (Musician)

El *PILOTO* / la piloto (Pilot)

El *SOLDADO* / la soldado (Soldier)

34 En la oficina: In the Office

O	E	R	R	O	C	C	A	R	E	T	R	A	C	A
G	T	Q	I	J	A	R	O	S	E	R	P	M	I	R
C	B	O	L	Í	G	R	A	F	O	M	Ó	Á	O	O
E	Á	W	M	Z	I	P	Á	L	V	J	O	L	N	D
S	Á	L	M	A	R	É	L	E	P	A	P	C	O	A
C	I	L	C	Ó	R	O	R	G	A	R	N	R	F	P
R	A	L	I	U	N	V	T	A	E	Ó	E	O	É	A
I	C	R	I	B	L	L	L	C	I	R	T	D	L	R
T	M	L	P	B	R	O	E	N	E	V	E	A	E	G
O	U	J	I	E	R	O	U	S	G	R	N	N	T	L
R	E	Á	U	P	T	E	Í	P	T	B	I	E	T	I
I	B	I	J	É	R	A	T	S	E	O	O	D	T	E
O	L	B	A	N	D	E	J	A	Ó	C	Y	R	K	Z
Ú	E	F	O	T	O	C	O	P	I	A	D	O	R	A
F	I	R	M	E	M	P	L	E	A	D	A	Í	W	Á

El empleado / la *EMPLEADA* (Employee)

El *DIRECTOR* / la directora (Director)

El *GERENTE* / la gerente (Manager)

La *CARPETA* (Binder)

El *LIBRO* (Book)

El *ORDENADOR* (Computer)

El *ESCRITORIO* (Desk)

El *CORREO* electrónico (Email)

El *MUEBLE* archivador (Filing cabinet)

La *BANDEJA* de entrada (Inbox)

El *PAPEL* (Paper)

La *IMPRESORA* (Printer)

La *FOTOCOPIADORA* (Photocopier)

El *BOLÍGRAFO* (Pen)

El *LÁPIZ* (Pencil)

La *GRAPADORA* (Stapler)

El *CLIP* (Paperclip)

La hoja de *CÁLCULO* (Spreadsheet)

Se lo *ENVIARÉ*. (I will send it to you.)

ESTOY trabajando en ello ahora. (I am working on it now.)

FIRME aquí. (Please sign here.)

El *TELÉFONO* (Telephone)

ESTARÉ fuera de la oficina. (I will be out of the office.)

Tengo una *REUNIÓN*. (I have a meeting.)

Me voy a *COMER*. (I am going on my lunch break.)

¿Desea *TOMAR* un té o un café? (Would you like a tea or coffee?)

La *LIBRETA* (Notebook)

La *CARTERA* (Briefcase)

35

La tecnología: Technology

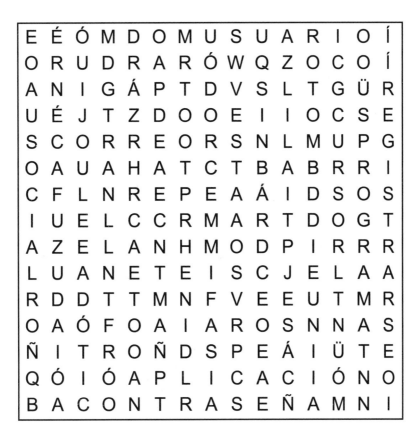

E	É	Ó	M	D	O	M	U	S	U	A	R	I	O	Í
O	R	U	D	R	A	R	Ó	W	Q	Z	O	C	O	Í
A	N	I	G	Á	P	T	D	V	S	L	T	G	Ü	R
U	É	J	T	Z	D	O	O	E	I	I	O	C	S	E
S	C	O	R	R	E	O	R	S	N	L	M	U	P	G
O	A	U	A	H	A	T	C	T	B	A	B	R	R	I
C	F	L	N	R	E	P	E	A	Á	I	D	S	O	S
I	U	E	L	C	C	R	M	A	R	T	D	O	G	T
A	Z	E	L	A	N	H	M	O	D	P	I	R	R	R
L	U	A	N	E	T	E	I	S	C	J	E	L	A	A
R	D	D	T	T	M	N	F	V	E	E	U	T	M	R
O	A	Ó	F	O	A	I	A	R	O	S	N	N	A	S
Ñ	I	T	R	O	Ñ	D	S	P	E	Á	I	Ü	T	E
Q	Ó	I	Ó	A	P	L	I	C	A	C	I	Ó	N	O
B	A	C	O	N	T	R	A	S	E	Ñ	A	M	N	I

La *CUENTA* (Account)

La *APLICACIÓN* (Application)

El documento *ADJUNTO* (Attachment)

El *BLOG* (Blog)

El *ORDENADOR* (Computer)

El *CURSOR* (Cursor)

La base de *DATOS* (Database)

El *CORREO* electrónico (Email)

El *ARCHIVO* (File)

La *CARPETA* (Folder)

El disco *DURO* (Hard drive)

La *PÁGINA* de inicio (Homepage)

La *INTERNET* (Internet)

El *TECLADO* (Keyboard)

El *PORTÁTIL* (Laptop)

La *MEMORIA* (Memory)

El *RATÓN* (Mouse)

La *CONTRASEÑA* (Password)

El *PROGRAMA* (Program)

La *PANTALLA* (Screen)

El *MOTOR* de búsqueda (Search engine)

El *MÓVIL* inteligente (Smartphone)

La red *SOCIAL* (Social network)

Iniciar *SESIÓN* (To login)

REGISTRARSE (To register)

COMPARTIR (To share)

SUBIR (To upload)

El nombre de *USUARIO* (Username)

36

Países y territorios con población de habla española: Countries and Territories with a Spanish-speaking Population

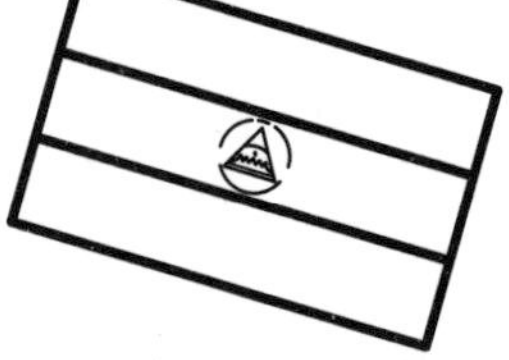

T	S	V	A	A	C	I	R	A	T	S	O	C	A	E
Z	Y	R	L	Z	H	A	E	N	I	U	G	P	H	H
H	A	A	E	N	I	C	A	R	A	G	U	A	Ó	Y
M	R	T	U	Ú	L	A	L	A	M	E	T	A	U	G
S	R	L	Z	G	E	H	E	H	R	A	N	I	É	O
A	O	A	E	B	U	W	N	T	A	I	P	V	C	Ú
R	D	R	N	E	B	R	O	Á	T	A	F	I	Á	P
U	N	B	E	L	F	R	U	N	N	P	X	L	M	A
D	A	I	V	I	I	A	E	A	E	É	O	O	I	R
N	B	G	Í	C	E	G	M	R	M	C	U	B	A	A
O	H	G	O	E	R	Á	Ú	É	A	Q	M	J	Í	G
H	M	A	N	A	C	I	N	I	M	O	D	A	M	U
Í	T	A	Í	R	O	D	A	V	L	A	S	L	E	A
Ó	S	O	D	I	N	U	S	O	D	A	T	S	E	Y
R	O	D	A	U	C	E	C	A	Ñ	A	P	S	E	V

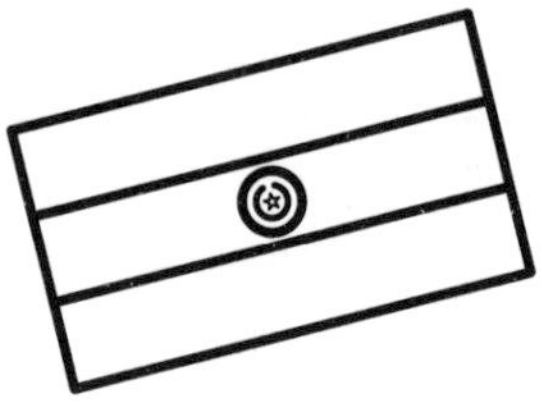

ANDORRA

ARGENTINA

BELICE (BELIZE)

BOLIVIA

CHILE

COLOMBIA

COSTA RICA

CUBA

República *DOMINICANA* (Dominican Republic)

ECUADOR

EL SALVADOR

ESPAÑA (Spain)

ESTADOS UNIDOS (United States of America)

GIBRALTAR

GUATEMALA

GUINEA Ecuatorial (Equitorial Guinea)

HONDURAS

MÉXICO (Mexico)

NICARAGUA

PANAMÁ (Panama)

PARAGUAY

PERÚ (Peru)

PUERTO RICO

URUGUAY

VENEZUELA

37

La vida laboral: Working Life

E	Ú	H	E	D	O	O	T	C	E	Y	A	R	T	E
M	R	T	R	A	N	V	Í	A	O	O	H	U	R	D
R	A	D	E	D	I	C	A	S	E	L	T	D	M	N
A	J	M	A	S	C	Q	N	K	A	N	R	R	O	Ó
Z	A	M	U	V	R	É	N	R	T	Í	E	R	O	D
A	B	C	É	C	I	A	G	B	E	I	Ü	I	Í	S
L	A	V	O	B	H	O	Z	O	G	N	E	T	T	B
P	R	H	M	J	O	O	J	A	L	L	Í	M	I	Y
S	T	A	D	I	O	A	U	C	L	A	E	C	P	S
E	T	S	I	E	B	T	U	O	T	P	I	Ú	O	O
D	Y	T	Ú	A	O	Á	D	S	Á	C	S	J	F	P
J	Q	A	R	B	N	I	U	T	L	I	E	E	T	G
V	Q	T	Ú	T	N	G	Í	E	Ü	L	E	R	D	A
Q	O	S	O	E	E	A	T	S	U	G	E	L	E	L
Á	M	Y	T	M	Y	A	N	D	A	N	D	O	X	F

¿*DÓNDE* trabaja?
(Where do you work?)

TRABAJO en … (I work at …)

¿A qué se *DEDICA*?
(What is your job?)

SOY … (I am a …)

¿*TIENE* que *DESPLAZARSE* cada día *HASTA* su trabajo?
(Do you have to commute?)

TENGO un *TRAYECTO* muy *LARGO*.
(I commute a long way.)

No tengo que *DESPLAZARME* muy *LEJOS*.
(I do not commute very far.)

¿En qué va a *TRABAJAR*?
(How do you get to work?)

Voy *ANDANDO*. (I walk.)

Voy en *BICICLETA*. (I cycle.)

COJO el *AUTOBÚS*.
(I catch the bus.)

VOY en *TREN*.
(I catch the train.)

Voy en *TRANVÍA*.
(I catch a tram.)

¿*LE GUSTA* su trabajo?
(Do you enjoy your work?)

ME GUSTA. / No me gusta.
(I like it./I do not like it.)

¿*CUÁNTO* tiempo lleva trabajando *ALLÍ*?
(How long have you worked there?)

Mucho *TIEMPO*. (A long time.)

No llevo *MUCHO*.
(Not very long.)

¿Qué *OTROS* trabajos ha *TENIDO*?
(What other jobs have you done?)

TAMBIÉN he trabajado de …
(I have also worked as …)

38

Las asignaturas y las actividades escolares: School Subjects and Activities

Y	C	Q	A	Í	G	O	L	O	N	C	E	T	Y	Y
Í	Ü	É	Í	A	C	I	T	Á	M	R	O	F	N	I
A	K	T	G	Á	O	O	N	A	I	L	A	T	I	I
S	I	C	O	E	R	A	K	L	O	N	A	P	D	D
O	A	R	L	U	O	Á	L	Ñ	Ñ	I	G	I	D	M
C	U	C	O	A	N	G	A	E	C	H	O	L	A	A
I	O	R	I	T	C	P	R	N	M	M	I	T	É	I
O	A	C	B	M	S	I	E	A	A	Á	E	F	S	S
L	A	N	I	E	Ó	I	M	S	F	M	N	R	O	A
O	W	R	I	T	C	N	H	Í	Á	Í	F	A	I	N
G	Q	F	T	C	Á	M	O	T	U	Í	A	N	D	M
Í	V	S	V	E	O	M	I	C	S	Q	N	C	U	I
A	C	I	S	Ú	M	C	A	I	E	A	A	É	T	G
N	H	É	D	Q	A	Ó	C	R	B	A	F	S	S	J
W	N	Í	P	S	V	A	J	E	D	R	E	Z	E	L

El *ARTE* (Art)

La *HISTORIA* (History)

La *GEOGRAFÍA* (Geography)

Las *MATEMÁTICAS* (Mathematics)

La *FÍSICA* (Physics)

La *BIOLOGÍA* (Biology)

La *QUÍMICA* (Chemistry)

La *CIENCIA* (Science)

La *TECNOLOGÍA* (Technology)

El arte *DRAMÁTICO* (Drama)

INGLÉS (English)

FRANCÉS (French)

ALEMÁN (German)

ESPAÑOL (Spanish)

Los *IDIOMAS* extranjeros (Foreign languages)

ITALIANO (Italian)

La *INFORMÁTICA* (Computer science)

Los *ESTUDIOS* audiovisuales (Media studies)

El *CORO* (Choir)

El club de *MÚSICA* (Music club)

El club de *AJEDREZ* (Chess club)

La *GIMNASIA* (Gymnastics)

La *COCINA* (Cookery)

Las ciencias *ECONÓMICAS* (Economics)

La *SOCIOLOGÍA* (Sociology)

39

En el aula: In the Classroom

I	B	P	R	E	G	U	N	T	A	J	Ó	T	C	A
A	O	E	A	R	R	A	Z	I	P	Á	L	A	R	W
T	L	R	L	I	B	R	O	N	A	Í	R	O	S	D
S	Í	T	R	Z	L	F	Ó	A	P	T	D	E	I	M
E	G	I	E	J	E	I	C	I	E	A	R	B	A	A
U	R	P	W	S	C	I	N	R	L	E	U	L	E	E
P	A	U	H	C	T	T	A	U	B	J	G	R	K	S
S	F	P	A	Á	U	U	C	E	O	E	A	H	Y	T
E	O	D	M	R	R	L	D	C	R	T	Á	E	É	R
R	E	A	A	G	A	Ó	Ü	I	P	R	U	E	B	A
R	R	L	E	C	C	I	Ó	N	A	C	U	R	S	O
G	H	O	M	V	Ñ	R	O	D	A	N	E	D	R	O
T	R	A	D	U	C	C	I	Ó	N	F	T	Ó	S	Ó
X	Í	Ó	S	E	N	O	I	C	A	U	C	E	Q	W
Ñ	V	Ó	O	T	N	E	I	M	I	R	E	P	X	E

La *PREGUNTA* (Question)

La *RESPUESTA* (Answer)

La *TAREA* (Task)

La *PIZARRA* (Whiteboard)

El *ORDENADOR* (Computer)

La *CALCULADORA* (Calculator)

La *REGLA* (Ruler)

El *ESTUDIANTE* (Student)

La *CARTERA* (Bag)

La *PRUEBA* (Test)

El maestro / la *MAESTRA* (Teacher)

La *REDACCIÓN* (Essay)

El *PUPITRE* (Desk)

El *CURSO* (Course)

La *PINTURA* (Paint)

El *DIBUJO* (Drawing)

Las *ECUACIONES* (Equations)

El *EXPERIMIENTO* (Experiment)

El *BOLÍGRAFO* (Pen)

El *LÁPIZ* (Pencil)

El *PAPEL* (Paper)

El *LIBRO* (Book)

La *LECTURA* (Reading)

La *TRADUCCIÓN* (Translation)

Los *DEBERES* (Homework)

La *GRAMÁTICA* (Grammar)

La *LECCIÓN* (Lesson)

40

Los colores: Hues

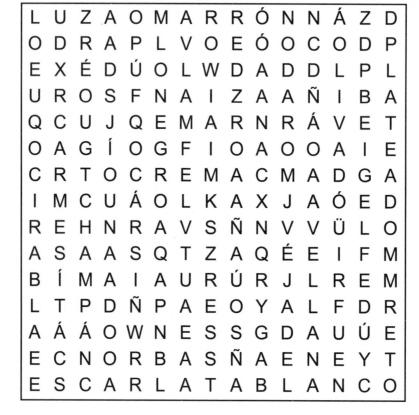

L	U	Z	A	O	M	A	R	R	Ó	N	N	Á	Z	D
O	D	R	A	P	L	V	O	E	Ó	O	C	O	D	P
E	X	É	D	Ú	O	L	W	D	A	D	D	L	P	L
U	R	O	S	F	N	A	I	Z	A	A	Ñ	I	B	A
Q	C	U	J	Q	E	M	A	R	N	R	Á	V	E	T
O	A	G	Í	O	G	F	I	O	A	O	O	A	I	E
C	R	T	O	C	R	E	M	A	C	M	A	D	G	A
I	M	C	U	Á	O	L	K	A	X	J	A	Ó	E	D
R	E	H	N	R	A	V	S	Ñ	N	V	V	Ü	L	O
A	S	A	A	S	Q	T	Z	A	Q	É	E	I	F	M
B	Í	M	A	I	A	U	R	Ú	R	J	L	R	E	M
L	T	P	D	Ñ	P	A	E	O	Y	A	L	F	D	R
A	Á	Á	O	W	N	E	S	S	G	D	A	U	Ú	E
E	C	N	O	R	B	A	S	Ñ	A	E	N	E	Y	T
E	S	C	A	R	L	A	T	A	B	L	A	N	C	O

BEIGE (Beige)

BLANCO (White)

AZUL (Blue)

MARRÓN (Brown)

VERDE (Green)

ROJO (Red)

AMARILLO (Yellow)

MALVA (Mauve)

NEGRO (Black)

NARANJA (Orange)

ROSA (Pink)

MORADO (Purple)

PLATEADO (Silver)

BRONCE (Bronze)

DORADO (Gold)

CASTAÑO (Chestnut)

CREMA (Cream)

JADE (Jade)

Verde *OLIVA* (Olive)

AVELLANA (Hazel)

AZAFRÁN (Saffron)

CARMESÍ (Crimson)

SEPIA (Sepia)

TURQUESA (Turquoise)

LILA (Lilac)

ESCARLATA (Scarlet)

CHAMPÁN (Champagne)

PARDO (Buff)

ALBARICOQUE (Apricot)

ASALMONADO (Salmon-pink)

41

Visitas turísticas: Sightseeing

E	V	I	S	I	T	A	R	A	R	E	C	R	E	T
R	N	N	O	C	R	A	B	D	Í	A	Ú	T	R	S
B	S	F	O	S	A	S	I	G	U	I	E	N	T	E
A	O	O	S	C	É	D	N	E	D	E	U	P	H	O
Í	T	R	E	U	L	L	A	Q	U	I	É	A	I	D
U	N	M	S	Á	Ú	U	G	R	U	E	S	Í	S	I
G	E	A	E	N	O	D	G	N	T	A	D	R	T	R
O	U	C	É	T	Á	E	Ó	A	I	N	E	E	Ó	R
I	C	I	U	O	C	I	S	S	R	N	E	L	R	O
D	S	Ó	Q	I	S	É	U	U	E	E	C	A	I	C
U	E	N	E	R	R	E	A	I	M	H	S	G	C	E
A	D	R	U	E	A	N	T	E	R	B	O	S	O	R
W	R	C	T	O	N	A	L	P	D	N	T	C	S	Y
A	X	N	Q	U	I	S	I	E	R	A	O	X	A	D
E	I	C	U	Á	N	D	O	Z	Ó	S	F	H	L	M

QUISIERA una *AUDIOGUÍA*.
(I would like an audio set.)

Quisiera una guía en *INGLÉS*.
(I would like an English guidebook.)

Quisiera un *PLANO*.
(I would like a local map.)

Quisiera *VISITAR* un *MUSEO*.
(I would like to visit a museum.)

Quisiera ir a una *GALERÍA*.
(I would like to go to a gallery.)

¿*TIENE* información *SOBRE* los *LUGARES* de *INTERÉS*?
(Do you have information on local sights?)

¿Tiene *INFORMACIÓN* sobre monumentos *HISTÓRICOS*?
(Do you have information on historical sights?)

¿Se *PUEDEN* hacer *FOTOS*?
(Can I take photographs?)

¿*QUÉ ES ESO*? (What is that?)

¿A qué hora *ABRE* / *CIERRA*?
(What time does it open/ close?)

¿*CUÁNTO* cuesta la *ENTRADA*?
(What is the admission charge?)

¿Hay *DESCUENTOS* para ...?
(Is there a discount for ...?)

¿*HAY* descuentos para la *TERCERA* edad?
(Is there a discount for older people?)

¿Cuándo es el *SIGUIENTE* viaje en *BARCO*?
(When is the next boat trip?)

¿Cuándo es la siguiente *EXCURSIÓN* de un *DÍA*?
(When is the next day trip?)

¿*CUÁNDO* es el siguiente *RECORRIDO*?
(When is the next tour?)

42

Los edificios: Buildings

Z	Ñ	A	Á	I	C	O	M	I	S	A	R	Í	A	C
L	A	T	S	O	H	O	T	E	L	Ú	F	N	A	O
O	F	I	C	I	N	A	S	C	H	S	É	T	I	L
S	E	S	U	B	O	T	U	A	O	C	E	S	G	E
E	S	C	U	E	L	A	E	L	A	D	C	Q	L	G
F	U	N	M	P	G	C	E	M	R	A	E	A	E	I
T	E	Q	I	A	E	I	L	A	P	F	C	L	S	O
T	D	S	R	N	C	A	L	Q	J	L	I	E	I	A
J	O	A	T	A	O	T	M	U	S	E	O	T	A	U
S	J	R	C	A	P	Á	I	S	O	E	R	R	O	C
E	A	S	É	K	D	F	C	E	Ú	E	Á	A	R	H
L	A	F	Á	B	R	I	C	A	N	S	W	U	Ñ	D
R	L	A	T	I	P	S	O	H	X	D	N	C	P	Ü
W	O	T	R	E	U	P	O	R	E	A	A	Ü	U	S
P	A	D	A	J	A	B	M	E	Z	Q	U	I	T	A

El *HOTEL* (Hotel)

La *TIENDA* (Shop)

El *ALMACÉN* (Warehouse)

La *FÁBRICA* (Factory)

El edificio de *OFICINAS* (Office building)

El *COLEGIO* universitario (College)

El *MUSEO* (Museum)

La *ESCUELA* (School)

El *ESTADIO* (Arena)

El *TEMPLO* (Temple)

La *MEZQUITA* (Mosque)

La *EMBAJADA* (Embassy)

El *PARQUE* de bomberos (Fire station)

La *COMISARÍA* (Police station)

La oficina de *CORREOS* (Post office)

El *CUARTEL* (Barracks)

La *CASA* (House)

El bloque de *PISOS* (Apartment block)

La *CATEDRAL* (Cathedral)

El *AEROPUERTO* (Airport)

La *IGLESIA* (Church)

El *RASCACIELOS* (Skyscraper)

El *GARAJE* (Garage)

El *HOSTAL* (Hostel)

La *CENTRAL* eléctrica (Power plant)

La estación de *TREN* (Train station)

La estación de *AUTOBUSES* (Bus station)

El *HOSPITAL* (Hospital)

43

Los sitios de interés: Places of Interest

M	L	O	T	N	E	I	M	A	T	N	U	Y	A	M
O	R	U	H	W	P	L	A	Y	A	B	M	Z	T	O
N	H	Í	E	S	T	A	D	I	O	U	Á	O	R	N
U	N	A	O	Í	T	T	E	M	P	L	O	O	A	T
M	S	A	T	A	R	A	T	A	C	C	Í	L	C	A
E	Z	R	E	S	E	R	V	A	A	J	D	Ó	C	Ñ
N	L	Ó	O	Ñ	O	Y	Y	T	A	E	R	G	I	A
T	O	N	I	S	A	C	E	D	A	U	E	I	O	S
O	M	V	I	Ñ	E	D	O	M	I	U	I	C	N	G
J	T	U	K	W	R	F	T	N	Q	E	G	O	E	A
A	L	A	S	A	K	F	A	R	U	T	L	É	S	L
S	Q	A	L	E	X	S	A	R	Z	N	E	É	I	E
T	E	A	T	R	O	P	T	Z	O	E	S	Ñ	T	R
E	D	I	F	I	C	I	O	S	B	U	I	A	I	Í
O	L	L	I	T	S	A	C	A	S	P	A	E	O	A

El *AYUNTAMIENTO* (Town hall)

El *PUENTE* (Bridge)

El *MUSEO* (Museum)

La *GALERÍA* de arte (Art gallery)

El *MONUMENTO* (Monument)

La *IGLESIA* (Church)

La *CATEDRAL* (Cathedral)

El *TEMPLO* (Temple)

La *ALDEA* (Village)

El *CASTILLO* (Castle)

El *FARO* (Lighthouse)

El *VIÑEDO* (Vineyard)

Los *EDIFICIOS* gubernamentales (Government buildings)

La *PLAYA* (Beach)

El *PARQUE* (Park)

La *COSTA* (Coast)

Las *CATARATAS* (Waterfalls)

Las *MONTAÑAS* (Mountains)

La *SALA* de conciertos (Concert hall)

Las *RUINAS* (Ruins)

El *RÍO* (River)

El *ZOOLÓGICO* (Zoo)

El *SITIO* histórico (Historical site)

La *RESERVA* natural (Wildlife sanctuary)

El *ESTADIO* (Stadium)

El parque de *ATRACCIONES* (Amusement park)

El *TEATRO* de la ópera (Opera house)

El *CLUB* nocturno (Nightclub)

El *CASINO* (Casino)

44

Ríos de España: Rivers of Spain

S	L	Á	P	J	P	J	R	K	K	J	Ú	C	A	R
O	J	S	A	I	S	C	A	H	E	N	A	R	E	S
C	Ñ	L	G	L	S	L	E	O	Ó	E	Y	J	I	E
Í	Ó	I	T	U	B	U	Q	B	O	W	S	I	I	M
N	F	A	M	E	A	L	E	D	R	A	E	L	J	R
Z	J	Ú	R	B	Ó	D	I	R	U	O	G	O	A	O
O	W	C	E	É	Z	E	I	N	G	E	U	C	R	T
D	H	S	N	Q	L	E	L	A	E	A	R	A	A	J
E	Ó	R	E	S	E	G	R	E	N	G	A	O	M	B
S	Á	O	D	Á	V	I	A	É	E	A	A	I	A	D
I	M	T	R	I	V	I	U	Q	L	A	D	A	U	G
Á	H	N	A	F	R	A	N	C	O	L	Í	K	T	R
W	I	I	C	U	E	R	N	Ó	G	A	R	A	S	H
R	E	T	T	S	O	G	N	O	C	C	I	N	C	A
E	P	U	L	A	D	A	U	G	A	N	O	R	A	G

ALBERCHE
ARAGÓN
ARGA
BESÓS
CARDENER
CINCA
CONGOST
DUERO
EBRO
ESLA
FRANCOLÍ
GARONA
GENIL
GUADALQUIVIR
GUADALUPE
GUADIANA
HENARES
JALÓN
JARAMA
JILOCA
JÚCAR
LÉREZ
MIÑO
ODIEL
PISUERGA
SEGRE
SEGURA
TAJO
TER
TINTO
TORMES
TURIA

45

En el museo / la pinacoteca: At the Museum/Gallery

H	A	Y	R	E	N	A	C	E	N	T	I	S	T	A
M	A	Q	R	T	P	U	I	G	N	O	A	N	U	A
O	Í	B	S	E	Á	U	R	N	S	T	Ñ	L	R	G
D	R	C	L	N	C	Á	E	O	G	O	R	T	Í	U
E	S	U	D	A	F	U	I	D	S	L	I	A	E	S
R	S	O	E	I	R	C	E	E	E	S	É	X	D	T
N	M	I	C	D	E	M	C	R	T	N	P	S	M	A
O	U	A	L	R	A	C	E	A	D	O	Ú	Q	R	R
O	S	T	P	L	A	S	A	G	S	A	J	E	Z	Í
U	E	Í	G	I	A	U	D	I	O	G	U	Í	A	A
G	O	C	O	M	Ú	N	C	Ó	L	F	O	T	O	S
I	M	P	R	E	S	I	O	N	A	N	T	E	Y	Í
T	N	X	F	C	Ó	O	D	I	R	R	O	C	E	R
N	C	U	Á	N	T	O	G	U	S	T	A	N	V	N
A	I	M	P	R	E	S	I	O	N	I	S	M	O	U

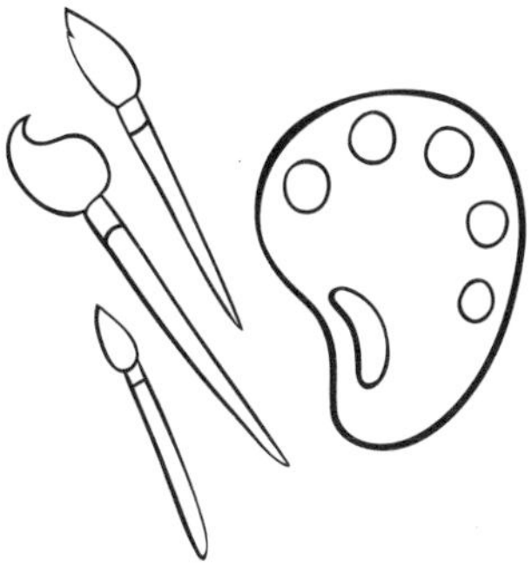

¿*CUÁNDO* abre el *MUSEO*? (When is the museum open?)

¿*CUÁNTO* cuesta la *ENTRADA*? (How much is admission?)

¿Qué hay en *EXPOSICIÓN*? (What is in the exhibition?)

Me *GUSTAN* las artes *GRÁFICAS*. (I like graphic art.)

Me gusta el *IMPRESIONISMO*. (I like impressionism.)

Me gusta el arte *MODERNO*. (I like modern art.)

Me gusta la pintura *RENACENTISTA*. (I like Renaissance paintings.)

¿Hay *ACCESO* para *SILLA* de *RUEDAS*? (Is there wheelchair access?)

¿Puede *HABLARME* de este *ARTISTA*? (Can you tell me about the artist?)

¿Es muy *ANTIGUO*? (How old is it?)

Me *GUSTARÍA* mucho ver … (I would really like to see …)

Me *RECUERDA* a … (It reminds me of …)

¿Hay un *RECORRIDO* establecido? (Is there a tour?)

¿Se *PUEDEN* hacer *FOTOS*? (Can I take photographs?)

Es *PRECIOSO*. (It is beautiful.)

Es *FUERA* de lo *COMÚN*. (It is unusual.)

Es *IMPRESIONANTE*. (It is impressive.)

¿*HAY* una *AUDIOGUÍA*? (Is there an audio guide?)

¿Hay *UNA* guía en *INGLÉS*? (Is there an English guidebook?)

46

En la playa: At the Beach

É	O	I	C	O	R	R	I	E	N	T	E	S	A	Z
S	D	N	Ó	B	A	J	A	A	F	D	L	Y	L	S
H	I	I	E	T	Ú	D	D	H	N	E	O	X	I	O
C	B	K	B	G	Q	A	Y	Ó	H	Q	S	U	U	C
P	I	I	G	R	R	Ü	D	A	T	L	A	N	Q	O
R	H	B	A	R	O	H	J	C	O	N	R	P	N	R
O	O	A	E	P	J	Ú	H	Y	A	P	A	L	A	R
T	R	C	Ú	E	E	I	Ó	C	L	V	P	T	R	I
E	P	U	S	T	M	A	R	A	L	L	O	C	T	S
C	O	T	G	Ú	R	E	Y	O	A	L	T	Y	K	T
T	Á	I	Ú	E	C	A	Z	G	E	D	E	U	P	A
O	P	W	B	Á	S	U	J	P	L	É	É	S	U	E
R	A	Z	V	H	B	O	R	E	R	B	M	O	S	Z
R	A	L	I	U	Q	L	A	N	O	B	M	U	T	L
O	J	V	V	G	A	F	A	S	D	E	S	O	L	C

¿*DÓNDE* está la *PLAYA*?
(Where is the beach?)

¿Dónde *ESTÁ* la *MEJOR* playa?
(Where is the best beach?)

¿Dónde está la playa más *CERCANA*?
(Where is the nearest beach?)

¿Dónde está la playa más *TRANQUILA*?
(Where is the quietest beach?)

¿Es *SEGURO* nadar?
(Is it safe to swim?)

¿Hay un *SOCORRISTA*?
(Is there a lifeguard?)

PROHIBIDO nadar
(No swimming)

Fuertes *CORRIENTES*
(Strong currents)

Playa *CERRADA*
(Beach closed)

¿A qué *HORA* es la marea *ALTA* / *BAJA*?
(What time is high / low tide?)

¿Se puede *ALQUILAR* una tumbona?
(Can I rent a chair?)

¿Se *PUEDE* alquilar un *PARASOL*?
(Can I rent an umbrella?)

¿Se puede alquilar un *TRAJE* de *BUZO*?
(Can I rent a wetsuit?)

La *TOALLA* de playa
(Beach towel)

La *TUMBONA* (Deck chair)

La *PELOTA* de playa
(Beachball)

Las *GAFAS DE SOL*
(Sunglasses)

El *BIKINI* (Bikini)

El *SOMBRERO* (Sun hat)

El *PROTECTOR* solar
(Sunscreen)

47

Viajar con niños: Travel with Children

Á	A	K	U	Ú	M	L	A	E	A	D	I	M	O	C
A	N	O	R	T	E	N	T	R	A	D	A	A	P	Á
Ñ	F	P	U	Á	N	I	Ñ	O	S	Ñ	P	P	R	O
P	O	L	V	O	M	F	A	M	I	L	I	A	S	E
T	K	N	H	R	T	O	A	L	L	I	T	A	S	S
I	Ó	A	E	H	O	H	C	E	P	O	R	I	H	A
E	Y	P	É	O	R	D	N	G	T	U	N	R	K	P
N	I	N	Ñ	A	T	E	A	N	V	D	E	Ñ	B	B
E	A	N	L	X	C	I	E	I	I	E	E	D	P	L
N	O	L	F	E	V	U	R	C	B	A	N	B	E	V
F	I	R	S	A	C	B	A	R	N	M	E	D	Ó	D
S	A	I	I	S	N	D	Ú	U	A	B	A	S	E	N
K	T	Ñ	E	N	O	T	C	Ñ	É	C	H	C	Á	N
O	X	D	O	G	A	Ú	I	S	J	F	B	G	P	P
B	R	Á	D	S	R	L	Ú	L	G	T	D	G	Ñ	Í

NECESITO una *SILLA* para *BEBÉS* / *NIÑOS*.
(I need a baby/child seat.)

Necesito un *ORINAL*.
(I need a potty.)

Necesito una *CUNA*.
(I need a crib.)

Necesito un *CARRITO* de *PASEO* para niños.
(I need a stroller.)

Necesito una *TRONA*.
(I need a high chair.)

¿Se *PERMITE* la *ENTRADA* a los niños?
(Are children allowed?)

¿Hay un *CAMBIADOR* para bebés?
(Is there a baby change room?)

¿Los niños *TIENEN* descuento?
(Is there a child discount?)

¿Las *FAMILIAS* tienen *DESCUENTO*?
(Is there a family discount?)

¿*HAY* menú *INFANTIL*?
(Is there a children's menu?)

¿Se *PUEDE* dar el *PECHO* aquí?
(Can I breastfeed here?)

¿*VENDEN* leche en *POLVO* para bebés?
(Do you sell formula?)

¿Venden *COMIDA* para bebés?
(Do you sell baby food?)

¿Venden *TOALLITAS* para bebés?
(Do you sell baby wipes?)

¿Está *INDICADO* para niños de (...) *AÑOS*?
(Is it suitable for (...)-year-old children?)

48

Viajes de personas con discapacidades: Disabled and Assisted Travel

S	O	N	A	M	A	S	A	P	O	G	E	I	C	E
X	A	T	W	P	E	R	S	O	N	A	S	A	O	L
A	D	E	É	Q	E	S	E	S	M	O	O	A	S	B
D	O	N	D	É	I	R	E	M	R	D	A	P	E	I
A	Q	G	I	N	O	N	R	D	R	E	S	M	C	S
R	U	O	S	Ú	O	E	A	O	L	A	U	A	C	E
T	I	Q	C	L	Í	J	S	Í	S	L	D	R	A	C
N	N	T	A	S	I	L	L	A	E	G	A	U	P	C
E	E	C	P	T	J	O	C	T	Á	Y	U	F	Y	A
C	S	S	A	R	E	L	A	C	S	E	O	Í	D	A
E	J	O	C	G	K	S	A	G	E	I	C	T	A	M
S	G	P	I	P	E	R	M	I	T	I	D	O	S	M
I	R	O	D	A	D	N	A	B	A	S	T	Ó	N	E
T	É	H	A	B	I	T	A	C	I	Ó	N	X	U	N
O	V	A	D	A	T	I	C	A	P	A	C	S	I	D

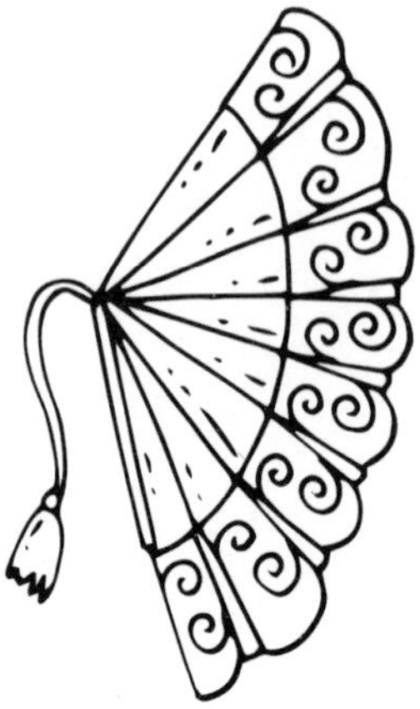

TENGO una *DISCAPACIDAD*.
(I have a disability.)

ESTOY discapacitado/ *DISCAPACITADA*.
(I am disabled.)

ACCESIBLE (Accessible)

La *SILLA* de ruedas
(Wheelchair)

El *BASTÓN* (Walking stick)

El *ANDADOR* (Walking frame)

Las *MULETAS* (Crutches)

Estoy *CIEGO* / *CIEGA*.
(I am blind.)

Estoy *SORDO* / *SORDA*.
(I am deaf.)

La *RAMPA* (The ramp)

Los *ESCALONES* / las *ESCALERAS*
(The steps/stairs)

Los *ADOQUINES*
(The cobblestones)

El *PASAMANOS* (Handrail)

¿Hay un *ASEO* para *PERSONAS* con discapacidades?
(Is there a disabled bathroom?)

¿Hay una *ENTRADA* sin escalones?
(Is there an entrance without steps?)

¿Puede *AYUDARME*?
(Can you help me?)

NECESITO ayuda.
(I require assistance.)

¿Hay un *ACCESO* para personas con discapacidades?
(Is there disabled access?)

Necesito una *HABITACIÓN* accesible.
(I need an accessible room.)

¿Están *PERMITIDOS* los *PERROS GUÍA*?
(Are guide dogs permitted?)

49

Poetas y escritores españoles: Spanish Poets and Playwrights

G	A	R	F	I	A	S	E	L	L	I	V	E	N	S
O	E	H	U	A	S	X	H	Í	E	O	Á	É	E	L
Y	R	Z	E	N	É	M	I	J	D	B	L	R	O	E
T	T	O	R	O	L	V	Í	A	E	L	V	P	A	S
I	S	N	T	S	S	F	H	N	I	A	E	I	I	E
S	A	U	E	A	A	C	A	U	L	D	P	T	S	G
O	S	M	S	C	A	V	G	L	E	O	I	R	A	Ó
L	B	A	A	M	E	K	E	V	P	Y	W	E	P	N
O	A	N	N	N	Y	I	E	E	H	I	I	B	G	G
H	R	U	T	Z	N	G	N	V	L	H	S	L	Ó	O
I	R	E	Ü	C	A	L	D	E	R	Ó	N	A	Ó	R
E	A	R	L	R	E	P	I	L	E	F	E	I	M	A
R	L	Á	C	I	M	O	R	A	T	Í	N	O	Q	Ó
R	N	A	C	R	O	L	A	Í	C	R	A	G	U	Ñ
O	L	Ó	A	M	D	E	I	B	E	D	L	I	G	M

Rafael *ALBERTI*

Carlos *BARRAL*

Jacinto *BENAVENTE*

Pedro *CALDERÓN* de la Barca

Alejandro *CASONA*

Gerardo *DIEGO*

León *FELIPE*

Gloria *FUERTES*

Federico *GARCÍA LORCA*

Pedro *GARFIAS*

Jaime *GIL DE BIEDMA*

Luis de *GÓNGORA*

Juan *GOYTISOLO*

Rafael *GUILLÉN*

José *HIERRO*

Juan Ramón *JIMÉNEZ*

LOPE DE VEGA

Manuel *MACHADO*

Paulino *MASIP*

Leandro Fernández de *MORATÍN*

Edgar *NEVILLE*

Alfonso *SASTRE*

Miguel de *UNAMUNO*

Ramón del *VALLE-INCLÁN*

50

Españoles famosos: Famous Spanish People

N	G	S	Z	A	O	R	T	S	A	C	O	P	A	Á
M	T	S	E	C	P	Y	E	V	Y	P	I	R	Y	A
E	X	O	U	I	M	Ó	V	C	S	C	E	Á	O	C
D	M	R	Q	L	A	X	R	C	A	J	H	R	G	R
R	D	E	Z	Ó	Ú	U	E	S	O	O	J	S	A	O
A	I	T	Á	T	Z	W	S	Ú	D	R	E	V	R	L
B	G	S	L	A	L	O	N	S	O	O	T	U	T	A
A	L	E	E	C	H	Ñ	O	R	K	Í	I	É	N	Í
N	E	L	V	A	K	I	R	V	L	Z	L	P	S	C
D	S	L	W	L	P	A	S	D	A	A	I	A	A	R
E	I	A	L	A	V	L	E	Í	D	R	U	Ú	D	A
R	A	B	T	A	A	G	Q	A	Ó	K	B	I	K	G
A	S	A	N	S	E	T	N	A	V	R	E	C	E	R
S	K	Ó	A	A	B	A	L	E	N	C	I	A	G	A
Y	H	C	R	S	A	N	T	A	Y	A	N	A	W	Ó

Fernando *ALONSO*

Cristóbal *BALENCIAGA*

Severiano *BALLESTEROS*

Antonio *BANDERAS*

Javier *BARDEM*

Nino *BRAVO*

Pablo *CASALS*

Jimmy *CASTRO*

Miguel de *CERVANTES*

Hernán *CORTÉS*

Penélope *CRUZ*

Salvador *DALÍ*

David *DE GEA*

Federico *GARCÍA LORCA*

Francisco *GOYA*

Julio *IGLESIAS*

Isabel *LA CATÓLICA*

Rafael *NADAL*

Juan Carlos *NAVARRO*

Elsa *PATAKY*

Isaac *PERAL*

Pablo *PICASSO*

Juan *RUIZ*

Jorge *SANTAYANA*

Miguel *SERVET*

Paz *VEGA*

Diego *VELÁZQUEZ*

Maribel *VERDÚ*

51

Encuentros – conversación: Meeting People – Conversation

V	P	J	Í	W	E	S	T	U	D	I	A	N	D	O
I	K	D	A	D	R	E	V	E	D	C	T	Í	R	D
V	V	W	N	S	O	M	E	R	I	U	G	E	S	A
E	Í	E	E	B	E	Ñ	M	D	A	I	Í	S	P	Q
A	T	T	U	U	É	C	E	Q	U	E	D	A	R	Á
Q	Q	N	B	I	R	D	A	U	T	Ó	N	O	M	O
U	Ñ	E	A	É	A	R	Í	H	Y	Ñ	S	M	V	T
Í	O	L	R	S	D	A	U	T	Ó	N	O	M	A	C
Y	D	E	O	D	E	N	E	G	O	C	I	O	S	A
O	A	C	H	Í	U	R	W	N	Ú	U	D	A	F	T
T	L	X	N	A	Q	U	E	M	Ü	Z	U	E	D	N
S	I	E	E	S	F	A	N	T	Á	S	T	I	C	O
E	B	V	A	C	A	C	I	O	N	E	S	P	B	C
J	U	B	I	L	A	D	A	B	T	I	E	M	P	O
O	J	A	B	A	R	T	H	E	D	N	Ó	D	A	Ü

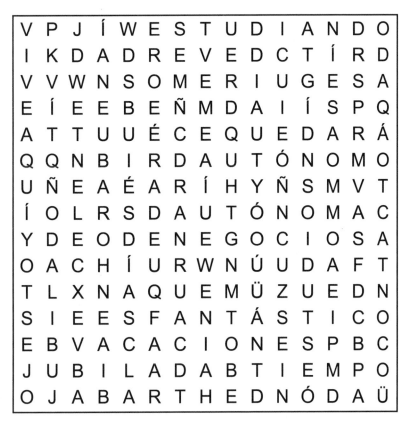

¿*VIVE AQUÍ*?
(Do you live here?)

¿Qué *HACE*?
(What are you doing?)

¿*ADÓNDE* va?
(Where are you going?)

¿Está aquí de *VACACIONES*?
(Are you here on vacation?)

ESTOY aquí de vacaciones.
(I am here for a vacation.)

Estoy aquí por *NEGOCIOS*.
(I am here for business.)

Estoy aquí por mis *ESTUDIOS*.
(I am here to study.)

¿Cuánto *TIEMPO* se *QUEDARÁ*?
(How long are you here?)

Me *QUEDARÉ* … *DÍAS*.
(I am here for … days.)

¡*EXCELENTE*! (Great!)

¿*DE VERDAD*? (Really?)

¡*ENHORABUENA*!
(Congratulations!)

Esto es *FANTÁSTICO*.
(That is fantastic.)

Qué *INTERESANTE*.
(How interesting.)

¿A qué se *DEDICA*?
(What do you do?)

TRABAJO en … (I work in …)

Soy *AUTÓNOMO* / *AUTÓNOMA*.
(I am self-employed.)

Estoy *JUBILADO* / *JUBILADA*.
(I am retired.)

Estoy *ESTUDIANDO*.
(I am currently studying.)

¡*SEGUIREMOS* en *CONTACTO*!
(Keep in touch!)

52

La familia: Family

P	A	R	E	J	A	A	C	O	G	I	D	O	L	I
S	O	M	I	R	P	A	N	A	M	R	E	H	S	G
E	I	N	Q	L	D	Q	U	U	A	T	Ó	S	E	E
A	S	F	A	J	T	A	N	B	Í	Í	Y	M	T	M
D	Á	P	D	M	Ú	Á	M	O	N	E	T	P	N	E
O	A	Á	O	T	R	A	L	E	U	B	A	W	E	L
P	O	Ñ	P	S	A	E	X	C	E	D	M	R	I	A
T	R	A	T	O	A	X	H	R	R	I	A	Ó	R	S
A	E	N	A	B	Y	A	D	A	Ü	F	R	H	A	H
D	I	I	D	R	D	A	S	O	T	E	I	N	P	Á
A	U	R	O	I	P	T	S	S	A	Z	D	H	H	B
A	Q	B	G	N	R	O	Ü	Ü	G	Ü	O	I	X	L
L	T	O	E	O	P	M	U	J	E	R	J	J	T	A
I	C	S	S	S	G	E	M	E	L	O	S	A	Ü	M
A	B	U	E	L	O	S	A	M	I	R	P	A	Ü	E

ESTE es mi … / *ESTA* es mi … (This is my …)

QUIERO presentarte a mi … (I would like to introduce you to my …)

HÁBLAME de tu … (Tell me about your …)

El *PADRE* (Father)

La *MADRE* (Mother)

El *HIJO* (Son)

La *HIJA* (Daughter)

El *HERMANO* (Brother)

La *HERMANA* (Sister)

El *MARIDO* (Husband)

La *MUJER* (Wife)

La *PAREJA* (Partner)

La *ABUELA* (Grandmother)

El *ABUELO* (Grandfather)

Los *PADRASTROS* (Stepparents)

Los *PRIMOS* / las *PRIMAS* (Cousins)

La *TÍA* (Aunt)

El *TÍO* (Uncle)

El *SOBRINO* (Nephew)

La *SOBRINA* (Niece)

Los *GEMELOS* / las *GEMELAS* (Twins)

ADOPTADO / *ADOPTADA* (Adopted)

ACOGIDO / *ACOGIDA* (Fostered)

El *ESPOSO* / la *ESPOSA* (Spouse)

Los *PARIENTES* (Relatives)

Los *NIETOS* (Grandchildren)

53 ¿De dónde es?: Where Are You From?

F	R	Ü	M	H	Q	R	É	F	I	N	E	T	Ó	J
Í	K	B	A	S	T	A	N	T	E	A	D	J	G	Í
N	G	X	I	E	É	N	Í	R	I	A	F	C	O	D
E	O	T	U	C	P	B	B	X	D	E	C	P	V	Á
Ó	I	B	S	O	Y	D	E	U	Ñ	U	M	I	E	Ü
O	D	I	S	P	E	É	I	O	L	A	S	P	O	V
P	E	O	R	V	E	C	S	T	C	I	J	Í	O	I
V	V	I	I	D	H	Q	U	O	T	A	R	R	I	V
K	U	V	N	Ú	Ó	R	U	A	L	F	L	C	Ó	I
Ñ	I	A	M	C	A	N	R	E	S	B	G	G	U	D
Y	R	E	E	G	L	Í	D	N	Ñ	O	E	E	Ú	O
G	D	M	J	Ü	O	N	Í	E	S	A	C	U	Á	N
O	M	Q	O	G	V	J	E	D	E	C	O	R	P	U
X	T	U	R	O	U	Ú	A	Í	R	A	T	S	U	G
B	N	R	O	L	A	C	E	S	O	R	A	Ñ	Í	E

SOY DE … (I am from …)

¿De *DÓNDE* es?
(Where are you from?)

¿Qué es lo *MEJOR* de su *CULTURA*?
(What is the best thing about your culture?)

¿Qué es lo *PEOR* del *SITIO* del que *PROCEDE*?
(What is the worst thing about where you are from?)

¿Qué debo *VISITAR* en …?
(Where should I visit in …?)

¿Es un país *GRANDE*?
(Is it a big country?)

No, es *BASTANTE* pequeño.
(No, it is quite small.)

¿Qué *TIEMPO* hace?
(What is the climate like there?)

El *CALOR* (Hot)

El *FRÍO* (Cold)

HÚMEDO (Wet)

SECO (Dry)

¿Ha *VIVIDO* en *ALGÚN* otro sitio?
(Have you lived anywhere else?)

¿Cuál ha *SIDO* el mejor sitio en el que ha vivido?
(Where was the best place that you lived?)

¿*VIVE* en la *CIUDAD*?
(Do you live in the city?)

¿Vive en el *CAMPO*?
(Do you live in the countryside?)

¿Vive en una ciudad *PEQUEÑA*?
(Do you live in a town?)

¿Vive en un *PUEBLO*?
(Do you live in a village?)

¿Dónde le *GUSTARÍA* vivir?
(Where would you like to live?)

54

Los países: Countries

E	V	D	I	N	A	M	A	R	C	A	O	I	Á	A
L	Ñ	Y	A	I	S	N	A	E	M	D	V	T	D	I
I	M	A	C	I	I	Y	G	I	I	C	W	A	A	D
H	A	E	D	H	N	I	L	N	C	J	G	L	N	N
C	U	B	C	N	P	E	U	F	O	N	O	I	A	I
S	R	A	U	T	A	O	K	F	I	R	A	A	C	S
U	I	I	O	L	N	L	N	A	A	Y	U	R	Ü	U
D	C	L	H	I	G	Ó	R	Ú	E	E	I	E	F	I
Á	I	A	E	Á	P	A	K	I	S	T	Á	N	G	Z
F	O	R	U	A	A	N	R	A	C	I	R	É	M	A
R	P	T	J	I	M	A	C	I	G	L	É	B	R	D
I	Ü	S	S	T	F	I	N	L	A	N	D	I	A	W
C	U	U	N	U	E	V	A	Z	E	L	A	N	D	A
A	R	A	U	S	T	R	I	A	G	R	E	C	I	A
C	O	L	O	M	B	I	A	R	U	M	A	N	Í	A

AUSTRALIA (Australia)

AUSTRIA (Austria)

BÉLGICA (Belgium)

BULGARIA (Bulgaria)

CANADÁ (Canada)

CHILE (Chile)

CHINA (China)

COLOMBIA (Colombia)

DINAMARCA (Denmark)

EGIPTO (Egypt)

Estados Unidos de *AMÉRICA* (United States of America)

FINLANDIA (Finland)

FIYI (Fiji)

FRANCIA (France)

GRECIA (Greece)

INDIA (India)

IRLANDA (Ireland)

ITALIA (Italy)

JAPÓN (Japan)

KENIA (Kenya)

MAURICIO (Mauritius)

NORUEGA (Norway)

NUEVA ZELANDA (New Zealand)

PAKISTÁN (Pakistan)

REINO UNIDO (United Kingdom)

RUMANÍA (Romania)

RUSIA (Russia)

SUDÁFRICA (South Africa)

SUECIA (Sweden)

SUIZA (Switzerland)

55

Sobre su vivienda: About Your Home

H	Á	B	L	E	M	E	Ü	V	L	A	Ü	Í	Ú	C
A	Ó	T	R	A	D	I	C	I	O	N	A	L	H	S
S	D	E	C	O	R	A	R	O	S	R	Z	L	I	P
A	E	N	E	I	T	Ó	É	T	Ü	E	X	A	I	O
C	N	J	E	D	Í	N	L	R	D	D	W	S	V	Ñ
E	A	T	A	I	C	P	A	A	E	O	O	I	N	N
I	D	F	I	R	V	É	H	P	T	M	V	U	E	E
Ü	A	N	H	G	A	I	C	M	S	Ó	E	O	S	X
A	R	Ó	A	H	U	G	V	O	U	V	É	T	P	T
Ñ	O	Y	L	R	E	A	L	C	A	Í	I	N	A	E
E	C	A	S	Í	G	O	A	V	E	L	L	Á	C	R
U	E	S	A	Í	Ñ	A	P	M	O	C	N	U	I	I
Q	D	O	R	M	I	T	O	R	I	O	S	C	O	O
E	L	L	U	S	S	A	N	O	S	R	E	P	G	R
P	V	A	I	L	I	M	A	F	J	A	R	D	Í	N

HÁBLEME de su *VIVIENDA*.
(Tell me about your home.)

¿Es una *CASA*? (Is it a house?)

¿Es un *PISO*?
(Is it an apartment?)

¿Es un *CHALÉ*?
(Is it a cottage?)

¿Es *ANTIGUA*? (Is it old?)

No, es *NUEVA*. (No, it is new.)

¿Es *MODERNA*?
(Is it modern?)

No, es *TRADICIONAL*.
(No, it is traditional.)

¿Es *GRANDE*? (Is it big?)

¿Es *PEQUEÑA*? (Is it small?)

¿Cuántos *DORMITORIOS* tiene?
(How many bedrooms does it have?)

¿*TIENE* usted *JARDÍN*?
(Do you have a garden?)

¿Tiene *USTED* animales de *COMPAÑÍA*?
(Do you have any pets?)

¿Tiene *ESPACIO* en el *EXTERIOR*?
(Do you have some outside space?)

¿Tiene *GARAJE*?
(Does it have a garage?)

¿Vive *SOLO* / *SOLA*?
(Do you live alone?)

No, *COMPARTO* la vivienda con otras *PERSONAS*.
(No, I live with roommates.)

No, *VIVO* con mi *FAMILIA*.
(No, I live with my family.)

¿Le gusta *DECORAR*?
(Do you like to decorate?)

¿En qué *ESTILO* está *DECORADA*?
(What is the decoration style?)

¿*CUÁNTO* tiempo *LLEVA* viviendo *ALLÍ*?
(How long have you lived there?)

56

En la casa: In the House

E	S	A	L	Ó	N	F	S	L	Ü	D	U	C	H	A
Ó	T	R	N	A	T	R	E	U	P	U	C	D	S	I
P	E	O	B	A	V	A	L	Z	E	H	U	O	A	S
A	L	D	R	A	T	A	R	A	I	L	Ñ	R	D	O
R	E	A	Z	D	C	N	D	M	N	A	O	M	N	F
E	V	R	Ó	I	E	A	E	O	B	I	B	I	O	Á
D	I	I	H	K	S	N	F	V	R	M	C	T	O	S
E	S	P	T	E	E	Ü	A	N	O	A	E	O	R	I
S	O	S	M	A	C	V	Ó	D	E	M	S	R	C	L
T	R	A	A	R	M	A	R	I	O	V	P	I	I	L
A	J	P	D	F	Ó	U	J	Q	U	R	E	O	M	A
N	I	C	E	T	C	Ñ	U	O	J	V	J	R	J	Ó
T	H	A	R	S	C	E	P	J	N	J	O	V	A	F
E	Ñ	M	A	U	T	K	E	M	U	E	B	L	E	A
S	S	A	P	A	N	I	R	T	I	V	S	F	E	S

El *DORMITORIO* (Bedroom)

El *BAÑO* (Bathroom)

La *COCINA* (Kitchen)

El *SALÓN* (Lounge)

La *PUERTA* (Door)

La *VENTANA* (Window)

La *MOQUETA* (Carpet)

El *SUELO* (Floor)

La *CHIMENEA* (Fireplace)

La *MADERA* (Hardwood)

La *NEVERA* (Refrigerator)

La *LAVADORA* (Washing machine)

El *MICROONDAS* (Microwave)

El *TELEVISOR* (Television)

La *ASPIRADORA* (Vacuum cleaner)

El *SOFÁ* (Sofa)

La *SILLA* (Chair)

La *MESA* (Table)

La *CAMA* (Bed)

La *VITRINA* (Cabinet)

El *ARMARIO* (Closet)

El *MUEBLE* (Cupboard)

Los *CAJONES* (Drawers)

La *DUCHA* (Shower)

El *LAVABO* (Toilet)

Las *PAREDES* (Walls)

El *ESPEJO* (Mirror)

La *LUZ* (Lighting)

El *ORDENADOR* (Computer)

Los *ESTANTES* (Shelves)

57

En el baño: In the Bathroom

N	B	É	V	D	E	N	T	Í	F	R	I	C	O	A
Ó	F	D	L	G	O	D	L	O	C	I	Ó	N	C	H
D	L	I	Y	Ñ	I	A	U	U	A	S	S	J	A	C
O	P	B	A	E	S	L	C	B	A	L	A	D	E	U
G	A	B	N	E	A	H	U	J	N	B	L	Ñ	G	D
L	P	T	O	V	I	R	N	Y	Ó	L	R	I	U	C
A	E	E	A	L	B	O	R	N	O	Z	O	G	T	H
S	L	B	L	U	P	T	O	A	L	L	A	S	R	A
E	O	A	J	S	A	F	E	I	T	A	D	O	M	M
N	G	A	E	E	X	F	O	L	I	A	N	T	E	P
I	S	N	Ó	S	A	J	R	O	D	A	C	E	S	Ú
E	P	L	E	T	N	A	Z	I	V	A	U	S	P	B
P	E	T	N	A	R	O	D	O	S	E	D	A	U	H
G	L	N	Ó	I	C	A	I	L	O	F	X	E	M	F
O	L	L	I	P	E	C	E	G	C	B	U	C	A	L

Los artículos de *ASEO* (Toiletries)

El *DENTÍFRICO* (Toothpaste)

El cepillo de *DIENTES* (Toothbrush)

El *SECADOR* (Hairdryer)

Las *TOALLAS* (Towels)

El *ALBORNOZ* (Bathrobe)

El *JABÓN* (Soap)

El *DESODORANTE* (Deodorant)

El baño de *BURBUJAS* (Bubble bath)

El *BIDÉ* (Bidet)

El *BAÑO* (Bath)

La *DUCHA* (Shower)

El *LAVABO* (Toilet)

El *GEL* de baño (Shower gel)

La *CUCHILLA* de afeitar (Razor)

La *ESPUMA* de afeitar (Shaving foam)

El enjuague *BUCAL* (Mouthwash)

El *CHAMPÚ* (Shampoo)

El *SUAVIZANTE* (Conditioner)

La lima de *UÑAS* (Nail file)

La *TOALLITA* (Wash cloth)

El *EXFOLIANTE* (Exfoliator)

El *ALGODÓN* (Cotton wool)

La *EXFOLIACIÓN* (Scrub)

La *ESPONJA* (Sponge)

El *AFEITADO* (Shave)

El *PAPEL* higiénico (Toilet tissue)

La *LOCIÓN* (Lotion)

El *PEINE* (Comb)

El *CEPILLO* (Hairbrush)

58

La rutina diaria: Daily Routine

M	S	A	T	O	C	S	A	M	F	C	A	D	Y	M
V	E	S	T	I	R	S	E	U	R	U	E	E	S	E
E	L	A	T	N	E	D	N	A	D	S	Ú	S	S	S
S	G	A	U	T	O	B	Ú	S	P	N	A	R	A	Y
R	P	E	R	R	O	P	U	E	R	T	A	I	E	E
A	P	E	I	E	V	K	R	D	S	T	G	M	S	L
L	O	S	L	Q	Y	T	I	D	S	D	E	R	R	A
L	I	R	A	X	A	E	U	O	E	S	A	O	A	V
I	G	A	S	R	N	C	C	S	R	L	G	D	Ñ	A
U	E	C	S	T	H	A	A	A	L	L	E	G	A	R
Q	L	E	E	A	C	Y	T	I	P	E	L	O	B	S
A	O	S	R	E	U	I	P	O	N	E	R	S	E	E
M	C	S	N	N	E	E	T	R	A	B	A	J	A	R
J	E	A	A	F	C	O	M	E	R	N	N	E	R	T
K	R	R	A	Z	S	A	T	N	A	L	P	E	P	H

DESPERTARSE (To wake up)

VESTIRSE (To get dressed)

DUCHARSE (To have a shower)

BAÑARSE (To have a bath)

LAVARSE (To have a wash)

Lavarse el *PELO* (To wash your hair)

CEPILLARSE los *DIENTES* (To brush your teeth)

SECARSE el pelo (To dry your hair)

AFEITARSE (To have a shave)

MAQUILLARSE (To put on makeup)

PONERSE las lentillas (To put in your contact lenses)

Pasar el hilo *DENTAL* (To floss)

DESAYUNAR (To have breakfast)

COMER (To have lunch)

CENAR (To have dinner)

Dar de comer al *GATO* (To feed the cat)

Dar de comer al *PERRO* (To feed the dog)

Dar de comer a las *MASCOTAS* (To feed the pets)

Regar las *PLANTAS* (To water the plants)

Ir al *COLEGIO* (To go to school)

Ir a *TRABAJAR* (To go to work)

Coger el *AUTOBÚS* (To catch the bus)

Coger el *TREN* (To catch the train)

LLEGAR a casa (To get home)

ACOSTARSE (To go to bed)

DORMIRSE (To fall asleep)

Cerrar la *PUERTA* (To lock the door)

SALIR de casa (To leave the house)

59 Acuerdo y discrepancias: Agreeing and Disagreeing

H	E	X	A	C	T	A	M	E	N	T	E	B	S	O
Z	C	J	O	G	N	O	P	U	S	E	D	A	O	E
E	S	U	P	U	E	S	T	O	I	T	J	B	M	R
M	Q	Ó	O	P	I	N	A	A	E	N	W	J	A	C
A	C	U	E	R	D	O	D	Z	L	E	F	É	T	Y
A	U	C	I	Ü	O	N	E	U	B	M	S	G	S	E
R	K	R	Ñ	V	I	I	M	Á	G	E	E	Y	E	R
U	V	X	A	N	O	Y	Ú	C	R	L	G	N	Ü	P
G	S	Ü	G	Z	D	C	I	U	I	B	U	Ü	T	M
E	T	U	E	E	Ó	E	A	Á	C	I	R	E	E	E
S	N	F	T	N	R	N	Z	A	E	S	O	S	C	I
A	A	S	T	T	E	I	Q	O	D	O	K	T	I	S
E	U	Í	O	Á	U	I	A	U	I	P	E	O	D	K
Ó	Z	D	Z	Q	T	Ñ	T	M	Á	P	E	Y	J	D
A	B	S	O	L	U	T	O	S	N	E	I	P	X	B

Sí, tiene *RAZÓN*.
(Yes, you are right.)

ESTOY totalmente de acuerdo con usted.
(I could not agree with you more.)

No estoy en *ABSOLUTO* de acuerdo con usted.
(I could not agree with you less.)

Es *EXACTAMENTE* lo que *PIENSO*.
(That is exactly how I feel.)

No me cabe *NINGUNA* duda.
(No doubt about it.)

En eso *TIENE* razón.
(You have a point there.)

Iba a *DECIR* que …
(I was going to say that …)

SUPONGO. (I guess so.)

BUENO, no estoy tan *SEGURO* / *SEGURA*.
(Well, I am not so sure.)

Estoy de *ACUERDO* con usted. / No estoy de acuerdo con *USTED*.
(I agree with you./I disagree with you.)

Si usted lo *DICE*.
(If you say so.)

Se *EQUIVOCA*.
(You are wrong.)

No *SIEMPRE* es así.
(That is not always the case.)

¿Qué *OPINA*?
(What do you think?)

Creo que no *ESTAMOS* de acuerdo.
(I think we will have to disagree.)

Por *SUPUESTO* (Of course)

QUIZÁ (Maybe)

No lo *CREO*. (I don't think so.)

Es *CIERTO*. (That is true.)

TOTALMENTE (Absolutely)

POSIBLEMENTE (Possibly)

60

La sociedad: Society

Y	M	A	T	R	I	M	O	N	I	O	Z	Í	D	P
Y	U	E	L	E	C	C	I	O	N	E	S	A	I	C
G	L	P	A	I	R	A	T	N	U	L	O	V	P	Ú
N	T	N	O	I	O	L	L	A	I	C	O	S	U	W
Ú	I	Ó	E	B	R	T	M	K	Ü	S	Í	F	T	L
O	C	I	N	T	É	T	S	E	X	O	T	O	A	C
D	U	G	Q	C	D	G	S	E	D	A	C	R	D	I
E	L	I	U	I	Á	E	O	U	U	I	J	I	A	E
L	T	L	N	E	G	R	J	B	D	P	C	L	D	N
I	U	E	F	E	R	O	C	Ó	I	N	M	I	I	C
T	R	R	S	É	Ú	R	I	E	Ú	E	I	I	N	I
O	A	A	Ú	A	M	R	A	Z	L	X	R	F	A	A
P	L	Í	E	N	E	R	G	Í	A	W	N	N	S	C
C	É	M	X	P	A	C	I	L	B	Ú	P	S	O	R
C	O	A	N	A	D	A	D	U	I	C	X	W	Ñ	G

El ciudadano / la *CIUDADANA* (Citizen)

La administración *PÚBLICA* (Civil service)

La *CLASE* (Class)

El *DELITO* (Crime)

Las *ELECCIONES* (Election)

La *ENERGÍA* (Energy)

El origen *ÉTNICO* (Ethnicity)

El *SEXO* (Gender)

El *GOBIERNO* (Government)

La *SANIDAD* (Health service)

La *INDUSTRIA* (Industry)

El *MATRIMONIO* (Marriage)

La *MEDICINA* (Medicine)

El *DINERO* (Money)

El diputado / la *DIPUTADA* (Member of Parliament)

MULTICULTURAL (Multicultural)

El *PERIÓDICO* (Newspaper)

La *PAZ* (Peace)

El primer ministro / la primera *MINISTRA* (Prime Minister)

La *CÁRCEL* (Prison)

La *RELIGIÓN* (Religion)

La *CIENCIA* (Science)

El grupo *SOCIAL* (Social group)

El *IMPUESTO* (Taxation)

El voluntario / la *VOLUNTARIA* (Volunteer)

La *GUERRA* (War)

61

Las bodas: Weddings

T	T	M	S	A	N	E	U	B	A	R	O	H	N	E
P	E	Ó	Ü	L	I	V	I	C	D	Z	R	O	P	H
R	S	Í	R	E	C	E	P	C	I	Ó	N	D	S	V
O	T	O	N	I	R	D	A	P	D	S	E	A	I	N
M	I	A	L	L	E	C	I	A	E	Q	Á	T	T	C
E	G	I	A	E	G	E	V	P	P	P	Í	I	E	E
T	O	S	I	T	A	L	O	O	Í	Y	N	V	F	S
I	D	E	C	S	L	E	N	C	M	V	S	N	N	R
D	I	L	P	A	O	B	N	O	I	A	L	I	O	E
O	T	G	U	P	R	R	D	T	Z	K	R	E	C	T
I	S	I	N	O	M	A	A	N	R	P	R	I	I	E
V	E	A	N	E	S	C	A	W	O	E	Ú	E	D	M
O	V	O	J	A	I	I	Q	N	J	D	G	T	É	O
N	H	A	C	Ó	L	Ó	X	U	Á	I	Y	A	Ú	R
R	P	E	N	A	G	N	M	U	D	R	O	F	R	P

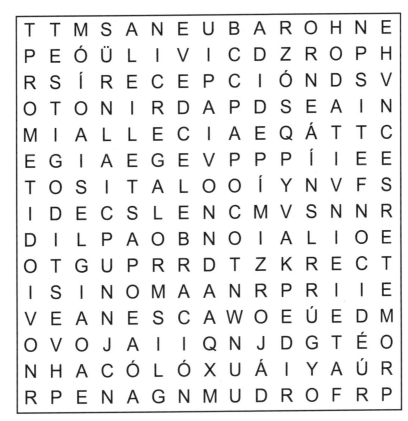

PEDIR en matrimonio
(To propose)

PROMETERSE en matrimonio
(To get engaged)

Anillo de *PEDIDA*
(Engagement ring)

El *MARIDO* (Husband)

La *MUJER* (Wife)

CASADO / casada (Married)

La *ALIANZA* (Wedding ring)

La *NOVIA* (Bride)

El *NOVIO* (Groom)

La dama de *HONOR*
(Bridesmaid)

El *PAJE* (Page)

El *PADRINO* (Best man)

El *VESTIDO* de novia
(Wedding dress)

El sombrero de *COPA* (Top hat)

ENTREGAR en matrimonio
(To give someone away)

Boda por la *IGLESIA*
(Church service)

Boda por lo *CIVIL*
(Civil wedding)

El *TESTIGO* / la testigo
(Witness)

La *RECEPCIÓN* (Reception)

La *INVITACIÓN* (Invitation)

El *INVITADO* / la invitada
(Guest)

El *PASTEL* nupcial
(Wedding cake)

El desayuno *NUPCIAL*
(Wedding breakfast)

El *REGALO* (Present)

La luna de *MIEL* (Honeymoon)

El *CONFETI* (Confetti)

La *CELEBRACIÓN*
(Celebration)

La *ENHORABUENA*
(Congratulations)

El *PROMETIDO* / la prometida
(Fiancé/fiancée)

62

Ciudades de México: Towns and Cities of Mexico

O	Z	T	I	J	U	A	N	A	B	A	Z	I	R	O
Y	T	O	T	N	Á	L	T	A	Z	A	M	O	Z	V
E	D	A	É	Z	C	M	E	X	I	C	A	L	I	J
R	T	X	U	A	A	A	P	L	X	A	U	L	A	U
R	I	A	N	P	C	P	E	I	C	C	L	I	M	Ü
E	V	C	I	U	A	R	A	A	U	A	A	S	I	S
T	Ú	A	L	C	O	R	V	L	H	U	E	O	L	A
N	W	O	H	M	P	A	I	E	H	N	Q	M	O	S
O	T	U	R	U	N	A	R	A	J	Y	Ó	R	C	O
M	C	Á	E	R	C	M	U	T	O	R	R	E	Ó	N
A	G	B	E	Á	O	H	T	E	V	R	T	H	L	Y
Ó	L	U	N	S	I	E	T	A	M	P	I	C	O	E
A	C	S	A	H	P	Á	M	É	R	I	D	A	I	R
L	L	Q	C	I	O	C	L	U	P	A	C	A	I	G
G	J	G	C	G	U	A	D	A	L	A	J	A	R	A

ACAPULCO
CANCÚN
CHIHUAHUA
COLIMA
CUERNAVACA
CULIACÁN
GUADALAJARA
HERMOSILLO
IRAPUATO
LA PAZ
LEÓN
MAZATLÁN
MÉRIDA
MEXICALI
MONTERREY
MORELIA
OAXACA
ORIZABA
PACHUCA
PUEBLA
REYNOSA
TAMPICO
TEPIC
TIJUANA
TOLUCA
TORREÓN
VILLAHERMOSA

63

Los animales de compañía: Pets

U	B	I	Y	V	G	E	X	É	T	E	N	G	O	R
E	N	O	O	A	O	N	L	Á	A	N	U	G	L	A
U	A	W	T	T	N	E	Z	Ñ	H	P	G	V	D	D
H	M	O	R	I	J	I	T	E	D	S	E	D	B	I
Í	A	Ú	A	E	O	T	M	X	P	E	Ú	R	I	U
S	L	A	G	M	R	A	B	A	D	T	S	A	R	C
E	L	Y	A	P	H	D	Í	A	L	N	Á	Ñ	Ñ	O
L	C	A	L	O	Á	P	L	Ñ	T	E	N	E	R	W
A	O	B	É	I	Á	G	B	E	A	I	L	L	H	T
U	N	O	U	J	Ú	Í	Í	J	Ñ	P	J	P	V	E
T	E	C	A	N	U	Á	O	C	Z	R	M	Z	Ú	N
I	J	R	H	Á	M	S	T	E	R	E	V	O	O	I
B	O	Ñ	W	C	R	Á	Ñ	M	E	S	H	R	C	D
A	L	E	G	U	S	T	A	R	Í	A	A	D	O	O
H	M	E	G	U	S	T	A	R	Í	A	C	E	Ñ	E

¿Tiene *ALGÚN* animal de *COMPAÑÍA*?
(Do you have any pets?)

¿*ALGUNA* vez ha *TENIDO* un animal de compañía?
(Have you ever had a pet?)

¿*LE GUSTARÍA* tener uno?
(Would you like to get one?)

ME GUSTARÍA tener uno.
(I would like to get one.)

No me gustaría *TENER* uno.
(I would not like to have one.)

No tengo *TIEMPO* para *CUIDAR* un animal.
(I do not have time to look after a pet.)

¿Qué *ANIMAL* es?
(What type of animal is it?)

Es un *GATO*. (It is a cat.)

Es un *PERRO*. (It is a dog.)

Es un *HÁMSTER*.
(It is a hamster.)

Es un *LAGARTO*. (It is a lizard.)

Es una *SERPIENTE*.
(It is a snake.)

Es un *CONEJO*. (It is a rabbit.)

TENGO una *COBAYA*.
(I have a guinea pig.)

Me gustaría tener un *PEZ*.
(I would like to get a fish.)

Me gustaría tener un *PÁJARO*.
(I would like to get a bird.)

¿Cómo se *LLAMA*?
(What is its name?)

¿*DESDE* cuándo los *TIENE*?
(How long have you had them?)

¿Son *HABITUALES* aquí los animales de compañía?
(Are pets common here?)

64

Aficiones e intereses: Hobbies and Interests

E	T	N	E	M	L	A	M	R	O	N	F	V	G	H
Ó	Ñ	P	T	B	R	A	N	I	C	O	C	E	Í	B
Ó	L	O	Q	A	D	A	L	U	T	I	T	B	U	S
M	C	D	É	I	A	X	K	O	O	Ñ	Q	I	I	A
É	O	A	C	L	Ó	Ó	G	M	A	S	U	Ó	L	P
Y	M	T	Ú	A	E	R	S	J	P	R	B	U	C	I
J	P	S	Ú	R	A	I	Í	C	R	O	C	Y	A	R
Y	R	U	P	F	R	A	O	A	V	Í	N	C	Y	V
H	A	G	Í	E	L	D	J	Ü	L	I	I	E	O	O
A	S	A	D	V	I	A	R	E	D	S	S	G	N	P
C	X	N	Ñ	C	I	L	P	A	Ú	J	M	T	L	M
E	E	L	E	V	X	B	S	M	C	B	L	E	O	E
S	G	R	E	Ü	Q	O	D	E	P	O	R	T	E	I
R	A	Ñ	E	E	K	D	Z	C	A	N	T	A	R	T
P	K	S	O	T	R	E	I	C	N	O	C	Y	A	F

¿Qué *HACE* en su *TIEMPO* libre?
(What do you do in your free time?)

Me gusta *VIAJAR*.
(I like to travel.)

Me gusta *BAILAR*.
(I like to dance.)

Me gusta *CANTAR*.
(I like to sing.)

Me gusta hacer *DEPORTE*.
(I enjoy playing play sports.)

Me gusta ir a *CONCIERTOS*.
(I like to go to concerts.)

Me gusta *TOCAR* música.
(I enjoy playing music.)

Me gusta *LEER*.
(I like to read.)

Me gusta *COCINAR*.
(I enjoy cooking.)

NORMALMENTE hago *SENDERISMO*.
(I regularly go hiking.)

Me gusta la *FOTOGRAFÍA*.
(I enjoy photography.)

Me gusta ir de *COMPRAS*.
(I like to go shopping.)

¿Qué *MÚSICA* le gusta?
(What music do you like?)

¿Qué películas *PONEN*?
(What films are showing?)

¿Ha *VISTO* …?
(Have you seen …?)

¿Está *DOBLADA*?
(Is it dubbed?)

¿Está *SUBTITULADA*?
(Is it subtitled?)

¿Le ha gustado la *PELÍCULA*?
(Did you like the movie?)

Me ha *PARECIDO* buena.
(I thought it was good.)

No me ha *GUSTADO*.
(I did not like it.)

65

Deportes: Sports

S	S	E	T	R	O	P	E	D	Ó	Ó	Y	Á	W	J
E	Ü	S	E	D	P	C	J	S	U	P	E	W	B	E
P	S	V	O	E	I	P	Ó	U	I	Á	A	A	U	C
Q	R	G	K	P	U	É	I	S	N	Í	N	G	I	K
G	I	A	I	O	Q	C	T	S	R	A	I	C	I	A
S	U	A	C	R	E	A	W	A	C	S	L	A	N	D
Y	Á	L	U	T	S	J	T	R	F	I	T	Y	O	A
P	R	F	G	I	I	S	E	Ñ	S	S	N	E	I	N
Ú	P	H	Ú	S	E	C	A	M	U	P	R	A	S	O
P	D	S	D	T	O	O	O	G	Ñ	Í	A	Ú	A	I
V	Ó	I	G	A	B	Í	E	A	E	G	G	V	N	S
E	D	N	Ó	D	E	O	U	X	N	U	U	Ü	M	E
R	U	E	V	Y	L	C	L	Q	O	A	J	W	I	L
L	O	T	S	E	C	N	O	L	A	B	G	Y	G	Y
O	L	E	S	I	O	N	A	D	O	E	I	H	T	Í

¿Qué *DEPORTES* practica?
(What sports do you play?)

PRACTICO … (I play …)

¿Qué deportes *SIGUE*?
(What sports do you follow?)

SIGO el *BALONCESTO*
(I follow basketball.)

El *FÚTBOL* (Soccer)

El *CICLISMO* (Cycling)

El *BOXEO* (Boxing)

El *TENIS* (Tennis)

¿Le *GUSTA* el deporte?
(Do you like sport?)

Me gusta *VERLO*.
(I like watching it.)

¿Qué *DEPORTISTA* le gusta?
(What sportsperson do you like?)

¿De qué *EQUIPO* es?
(What team do you follow?)

¿Quién *JUEGA*?
(Who is playing?)

¿Quién *GANA*?
(Who is winning?)

¿Quiere *JUGAR*?
(Do you want to play?)

ESTARÍA muy bien.
(That would be great.)

Estoy *LESIONADO* / *LESIONADA*.
(I have an injury.)

¿Dónde está la *PISCINA* más *CERCANA*?
(Where is the nearest swimming pool?)

¿Hay *PISTAS* de tenis por *AQUÍ* cerca?
(Are there tennis courts nearby?)

¿*DÓNDE* está el *GIMNASIO* local?
(Where is the local gym?)

66

Senderismo: Hiking

E	O	L	B	E	U	P	D	G	Í	L	I	C	Á	F
I	N	H	U	R	G	Ó	R	V	U	R	A	N	L	V
C	D	S	E	S	N	S	D	O	Q	S	N	R	E	R
I	I	E	A	D	A	Z	I	L	A	Ñ	E	S	G	S
N	F	N	E	P	G	T	P	E	N	E	I	T	U	A
T	Í	D	C	V	E	S	U	L	Á	U	C	M	E	P
E	C	E	O	A	O	R	E	R	P	D	I	A	D	A
R	I	R	R	N	M	C	D	O	T	N	P	P	G	N
E	L	I	T	L	Y	I	E	I	I	R	O	A	N	O
S	E	S	A	T	L	L	N	S	D	R	G	B	I	R
A	L	M	I	R	V	E	T	O	D	O	N	C	P	Á
N	G	O	S	Y	S	R	V	S	U	F	E	H	M	M
T	U	V	S	P	O	N	E	A	H	A	T	M	A	I
E	Í	P	Y	S	P	M	A	U	R	V	B	O	C	C
V	A	S	O	M	A	T	I	S	E	C	E	N	T	A

¿Hay *RUTAS* de *SENDERISMO*?
(Are there hiking trails?)

¿*NECESITAMOS* un *GUÍA*?
(Do we need a guide?)

¿Dónde se *PUEDEN* comprar *SUMINISTROS*?
(Where can I buy supplies?)

¿*TIENE* un *MAPA*?
(Do you have a map?)

¿Es muy *LARGA* la ruta?
(How long is the hike?)

¿Es *DIFÍCIL*? (Is it difficult?)

¿Está bien *SEÑALIZADA*?
(Is it well marked?)

¿Qué *TENGO* que *LLEVAR*?
(What do I need to bring?)

¿Es *PANORÁMICA*?
(Is it scenic?)

¿*CUÁL* es la ruta más *FÁCIL*?
(Which route is easiest?)

¿Cuál es la ruta más *CORTA*?
(Which route is shortest?)

¿Cuál es la ruta más *INTERESANTE*?
(Which route is most interesting?)

¿*DÓNDE* está el *CAMPING*?
(Where is the campsite?)

¿Dónde está el *PUEBLO*?
(Where is the village?)

¿Lleva este *CAMINO* a …?
(Does this path go to …?)

¿Se puede ir por *AQUÍ*?
(Can we go through here?)

Me he *PERDIDO*. (I am lost.)

67

La música: Music

A	C	A	N	T	A	N	T	E	V	A	D	K	T	A
U	R	R	Q	G	O	C	P	E	P	I	A	N	O	I
W	A	R	U	J	L	V	H	U	R	U	O	P	I	P
P	R	S	A	Á	E	I	Q	E	E	S	Ü	L	O	C
É	T	B	S	T	P	U	C	Í	K	D	Ü	P	Í	C
A	Ñ	I	Í	H	I	T	Ú	G	O	A	E	Q	A	N
Í	C	I	O	E	O	U	É	D	T	Í	X	Y	C	O
A	E	P	R	S	U	Q	G	E	R	R	P	A	I	P
W	S	E	B	U	E	N	O	S	E	E	O	T	R	U
K	T	O	R	A	D	L	D	C	I	T	T	E	Ó	R
E	O	D	Ó	N	D	E	A	U	C	A	N	P	L	G
T	Y	D	R	Z	E	R	S	C	N	B	A	M	C	C
O	P	I	Z	O	E	Y	F	H	O	I	C	O	L	O
C	B	A	Á	P	C	Z	S	A	C	L	E	R	O	R
O	J	E	Ó	X	A	K	Ñ	R	R	É	A	T	F	O

Me *GUSTA* escuchar *HIP HOP*.
(I like listening to hip hop.)

El *JAZZ* (Jazz)

La *ÓPERA* (Opera)

El *RAP* (Rap)

La música *CLÁSICA*
(Classical music)

La música *FOLCLÓRICA*
(Folk music)

La música *POP*
(Pop music)

La música *ROCK*
(Rock music)

TOCO la *BATERÍA*.
(I play the drums.)

Toco la *GUITARRA*.
(I play the guitar.)

Toco el *BAJO*.
(I play bass guitar.)

Toco el *PIANO*.
(I play the piano.)

Toco la *TROMPETA*.
(I play the trumpet.)

Toco el *VIOLÍN*.
(I play the violin.)

CANTO en un *CORO*.
(I sing in a choir.)

ESTOY en un *GRUPO*.
(I am in a band.)

Soy *CANTANTE*.
(I'm a singer.)

¿Hay *BUENOS* grupos *LOCALES*?
(Are there good local bands?)

¿*DÓNDE* se *PUEDE* ir a *ESCUCHAR* música en *DIRECTO*?
(Where can I go to hear live music?)

¿*QUIERE* ir a un *CONCIERTO*?
(Would you like to go to a concert?)

68

Argentinos famosos: Famous Argentines

D	Y	B	A	L	A	K	T	E	V	É	Z	H	B	E
F	A	N	G	I	O	M	E	S	S	I	M	O	I	M
R	O	D	R	Í	G	U	E	Z	J	N	O	U	L	O
É	Y	G	I	U	P	L	T	V	A	T	F	S	O	R
F	H	N	N	F	M	A	I	L	A	A	R	S	P	E
R	S	J	Í	L	K	M	B	B	O	R	A	A	I	N
A	A	O	R	H	E	A	Á	D	L	A	N	Y	L	O
N	B	M	A	S	N	S	E	U	A	V	C	S	A	D
C	A	A	D	D	C	M	S	F	Z	E	I	A	T	O
E	T	R	I	H	L	A	X	E	N	U	S	N	O	C
L	I	A	F	O	P	A	R	H	O	G	C	D	J	A
L	N	D	O	M	K	E	S	Y	G	T	O	R	X	M
A	I	O	N	S	E	G	R	O	B	Z	S	I	A	P
E	B	N	N	E	Ó	H	E	Ó	S	É	J	N	V	O
Í	J	A	N	E	T	I	A	M	N	Ó	M	I	A	Ñ

Jorge Luis *BORGES*

CARYBÉ

Ricardo *DARÍN*

Paulo *DYBALA*

Juan Manuel *FANGIO*

Guillermo *FRANCELLA*

Papa *FRANCISCO*

Julie *GONZALO*

Che *GUEVARA*

Bernardo *HOUSSAY*

Fernando *LAMAS*

Luisana *LOPILATO*

MAITENA

Diego *MARADONA*

Lionel *MESSI*

Mariano *MORENO*

David *NALBANDIAN*

Gaspar *NOÉ*

Victoria *OCAMPO*

Alberto *OLMEDO*

Eva *PERÓN*

Manuel *PUIG*

Belén *RODRÍGUEZ*

Gabriela *SABATINI*

Ernesto *SÁBATO*

Luis *SANDRINI*

José *SOSA*

Martina *STOESSEL*

Carlos *TEVÉZ*

69

El cine y la televisión: Film and Television

O	S	A	D	A	M	I	N	A	L	U	S	A	É	B
T	X	C	Z	A	S	A	M	A	R	G	O	R	P	Y
S	I	C	N	A	L	L	L	S	A	B	A	D	E	P
I	Í	I	S	E	L	A	T	N	E	M	U	C	O	D
V	D	Ó	S	E	M	T	Y	S	O	M	E	D	O	P
X	U	N	M	A	E	P	E	L	Í	C	U	L	A	S
C	Í	O	R	R	C	U	L	E	B	R	O	N	E	S
C	N	E	R	C	D	I	V	E	R	T	I	D	A	P
O	E	O	S	A	C	I	T	N	Á	M	O	R	N	R
M	R	S	Q	R	H	V	O	S	G	Ó	U	V	Ó	E
E	P	Z	A	P	T	D	Ó	Ó	Á	Ó	P	E	I	F
D	C	R	Í	M	E	N	E	S	T	T	R	O	C	I
I	O	R	E	I	U	Q	U	I	G	S	N	X	C	E
A	S	A	M	A	R	D	O	L	E	M	U	A	I	R
S	E	S	T	A	B	A	B	I	E	N	I	G	F	O

Me gusta ver películas de *ACCIÓN*.
(I like to watch action films.)

Me gusta ver películas de ciencia *FICCIÓN*.
(I like to watch science fiction films.)

PREFIERO los *MELODRAMAS*.
(I prefer dramas.)

Me gustan las *COMEDIAS*.
(I like comedy films.)

No me gustan las películas *ROMÁNTICAS*.
(I do not like romantic films.)

Me gustan las películas *FANTÁSTICAS*.
(I like fantasy films.)

Me gustan las películas *ANIMADAS*.
(I enjoy animated films.)

VEO muchos *DOCUMENTALES*.
(I watch a lot of documentaries.)

No me gustan las *PELÍCULAS* de *TERROR*.
(I do not like horror.)

Me gustan los *PROGRAMAS* de *CRÍMENES*.
(I like crime shows.)

Me gustan los *CULEBRONES*.
(I enjoy soap operas.)

¿Ha *VISTO* …?
(Have you seen …?)

YA LA he visto.
(I have already seen that.)

No *QUIERO* ver eso.
(I do not want to watch that.)

¿Qué *PODEMOS* ver?
(What should we watch?)

Me *GUSTÓ*. (I liked it.)

NO ME gustó. (I did not like it.)

ESTABA BIEN. (It was good.)

ERA MALA. (It was bad.)

Ha sido *DIVERTIDA*.
(It was funny.)

DABA mucho *MIEDO*.
(It was scary.)

70

Cultura popular: Popular Culture

P	Í	S	E	R	O	D	A	Ñ	E	S	I	D	S	H
B	E	W	O	I	T	I	S	A	E	T	X	O	A	D
A	Z	R	Ñ	E	U	S	C	L	Ñ	X	S	O	N	A
W	R	P	I	Ñ	T	I	É	G	O	O	E	D	I	D
G	E	T	E	Ó	S	N	Á	T	U	R	R	M	P	I
O	W	O	I	Ú	D	I	A	T	C	S	Á	O	O	L
S	G	S	M	S	X	I	N	T	B	T	T	D	P	A
R	Á	O	É	L	T	U	C	R	N	A	W	A	T	E
O	A	M	A	N	S	A	S	O	M	A	F	T	A	R
J	T	A	S	E	N	É	S	T	S	H	C	C	A	R
E	S	F	R	E	K	Í	S	C	D	O	T	Á	I	E
M	I	P	H	J	A	K	G	A	S	R	P	Ó	E	L
Q	V	O	E	S	Ó	L	O	M	I	Y	A	U	G	E
O	E	N	É	I	U	Q	L	Z	F	Í	Q	Ü	R	T
U	R	D	A	D	I	R	B	E	L	E	C	X	S	G

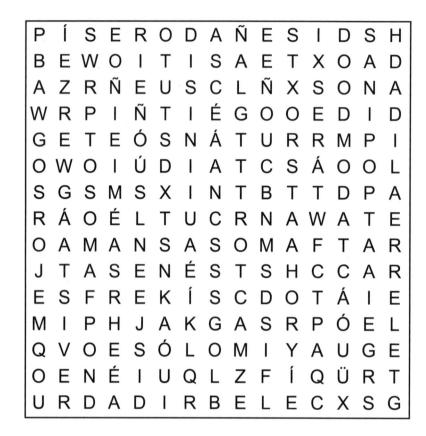

Me *GUSTA* … / No me gusta …
(I like …/I do not like …)

¿Qué *OPINA* de …?
(What do you think of …?)

¿*QUIÉN* cree *QUE* es el *MEJOR* cantante / la mejor *CANTANTE*?
(Who do you think is the best singer?)

¿Qué *ACTOR* le gusta *MÁS*?
(Which actor do you like best?)

¿Qué *ACTRIZ* le gusta más?
(Which actress do you like best?)

¿Qué *GRUPOS* de *MÚSICA* le gustan?
(Which bands do you like?)

¿A qué *ARTISTAS* escucha?
(What artists do you listen to?)

¿Qué *DISEÑADORES* de *MODA* le gustan?
(Which fashion designers do you like?)

El *PERIÓDICO* (Newspaper)

La *REVISTA* (Magazine)

El *SITIO WEB* (Website)

El *BLOG* (Blog)

La *CELEBRIDAD* (Celebrity)

La *TELERREALIDAD*
(Reality TV)

El *FAMOSO* / la *FAMOSA*
(Famous)

Creo que *ÉL ES* muy *GUAY*.
(I think he is cool.)

Creo que *ELLA ES* muy guay.
(I think she is great.)

CREO que son *PRESUNTUOSOS*.
(I think they are pretentious.)

71

En la piscina: At the Pool

M	J	Á	O	Ü	C	S	Ú	S	A	B	E	I	P	C
D	Ü	E	N	C	A	N	T	A	R	Í	A	I	L	V
J	R	M	T	F	W	V	Ú	P	K	É	S	I	S	E
N	O	D	A	R	I	T	D	F	F	C	M	O	Á	C
F	D	G	C	O	G	O	J	Q	I	A	C	N	U	R
S	A	R	L	D	Ó	A	B	N	T	O	N	B	C	S
E	T	Y	A	A	U	L	A	I	R	Ó	I	Q	O	Q
R	O	N	S	Ñ	C	L	Z	R	Y	E	Ñ	Y	Q	C
O	L	A	E	A	Á	A	I	S	R	A	O	Ñ	U	Ó
D	F	T	S	B	D	S	L	T	P	A	S	S	I	E
I	Z	A	H	A	T	Y	A	I	O	N	B	M	E	S
T	H	C	S	A	H	C	U	D	B	Ü	A	R	R	T
S	Z	I	V	Ü	Y	C	I	E	R	R	A	D	E	Á
E	I	Ó	Ü	O	D	I	T	I	M	R	E	P	A	N
V	Ú	N	F	E	B	C	A	B	E	Z	A	M	U	R

¿A qué hora *ABRE* la piscina?
(What time does the pool open?)

¿A qué hora *CIERRA* la piscina?
(What time does the pool close?)

¿Es una piscina *CUBIERTA*?
(Is it an indoor pool?)

¿Es una piscina al aire *LIBRE*?
(Is it an outdoor pool?)

¿Es una piscina *CLIMATIZADA*?
(Is it a heated pool?)

¿*HAY* una *PISCINA* para *NIÑOS*?
(Is there a children's pool?)

¿Dónde *ESTÁN* los *VESTIDORES*?
(Where are the changing rooms?)

¿Está *PERMITIDO* tirarse de *CABEZA*?
(Is diving allowed?)

El *BAÑADOR* (Swimsuit)

Las *GAFAS* de natación
(Goggles)

El *FLOTADOR* (Float)

Las *TOALLAS* (Towels)

Las *DUCHAS* (Showers)

¿Hay *SOCORRISTA*?
(Is there a lifeguard?)

¿Hay *CLASES* de *NATACIÓN*?
(Are there swimming lessons?)

¿*QUIERE* ira a nadar?
(Would you like to go swimming?)

Me *ENCANTARÍA*.
(I would love to.)

No sé *NADAR*.
(I don't know how to swim.)

72

Nombres españoles: Spanish Names

Á	R	S	I	O	C	S	I	C	N	A	R	F	O	L
K	Ú	A	G	L	D	O	L	O	R	E	S	Í	N	E
N	G	É	F	B	M	L	E	I	N	A	D	Á	B	U
M	A	L	Y	A	R	A	Q	U	E	L	M	I	É	G
A	P	U	S	P	E	M	R	B	G	Á	N	O	S	I
R	E	C	J	O	Ü	L	E	T	K	O	R	Ó	N	M
Í	D	Í	Y	Y	F	N	I	B	I	D	O	Y	L	A
A	R	A	E	P	G	Í	V	W	N	N	N	O	C	E
A	O	N	P	O	H	L	A	A	E	A	A	G	A	O
N	M	Á	J	A	G	R	J	M	W	N	I	A	R	K
T	A	O	U	C	R	E	R	J	J	R	L	I	L	M
O	N	N	L	E	L	A	I	J	Ó	E	I	T	O	A
N	U	N	I	A	C	G	Ú	D	O	F	M	N	S	T
I	E	S	A	O	P	G	L	U	I	S	E	A	L	E
O	L	M	A	R	I	S	O	L	J	H	É	S	E	O

ALEJANDRO
ANTONIO
CARLOS
CARMEN
DANIEL
DIEGO
DOLORES
EMILIANO
FERNANDO
FRANCISCO
JAVIER
JOSÉ
JUAN
JULIA
LUCÍA
LUIS
MANUEL
MARÍA
MARISOL
MARTINA
MATEO
MIGUEL
PABLO
PALOMA
PEDRO
RAFAEL
RAMONA
RAQUEL
SANTIAGO
SIERRA
SOFÍA

73

Salidas: Going Out

P	D	I	S	C	O	T	E	C	A	S	A	Q	U	Í
O	U	B	D	R	E	C	O	G	E	R	L	E	L	I
D	L	N	E	S	C	A	F	E	T	E	R	Í	A	E
E	A	P	T	A	R	D	E	N	D	T	F	A	N	O
M	I	Á	S	O	B	V	Ó	O	T	N	E	I	S	Q
O	N	U	U	A	A	I	A	Í	R	A	T	S	U	G
S	E	E	I	Y	S	O	M	A	R	Á	D	E	U	Q
J	G	L	A	U	L	U	E	G	O	A	D	O	É	U
Y	A	M	L	A	É	Ü	S	G	T	E	N	R	R	E
R	O	I	Á	N	K	E	R	Á	M	R	E	E	A	D
S	B	Ó	K	A	I	E	P	O	U	D	L	C	S	A
É	É	Q	K	M	D	F	S	T	N	U	B	A	A	M
N	O	C	H	E	S	A	C	Ó	G	A	A	H	P	O
W	T	É	U	S	A	O	D	A	R	B	Á	É	Y	S
L	Ó	P	E	T	N	A	R	U	A	T	S	E	R	Ú

¿Qué se *PUEDE* hacer por *AQUÍ* cerca?
(What is going on nearby?)

¿Qué se puede *HACER* esta *NOCHE*?
(What is going on tonight?)

¿Qué se puede hacer este *FIN* de *SEMANA*?
(What is going on this weekend?)

¿Dónde *ESTÁN* las *DISCOTECAS*?
(Where are the clubs?)

¿A qué hora *PODEMOS* quedar?
(What time would you like to meet?)

Me *GUSTARÍA* que *QUEDÁRAMOS* a las … en *PUNTO*.
(I'd like to meet at … o'clock.)

¿Dónde *QUEDAMOS*?
(Where should we meet?)

QUEDEMOS en …
(Let's meet at the …)

¿Dónde estará *USTED*?
(Where will you be?)

PASARÉ a *RECOGERLE*.
(I will pick you up.)

Hasta *LUEGO*. (See you later.)

Me hace mucha *ILUSIÓN*.
(I'm looking forward to it.)

SIENTO llegar *TARDE*.
(Sorry I'm late.)

¿*ADÓNDE* podemos ir a *BAILAR*?
(Where can we go dancing?)

¡Este *LUGAR* es *GENIAL*!
(This place is great!)

VAYAMOS a un club *NOCTURNO*.
(Let's go to a nightclub.)

Vayamos a un *BAR*.
(Let's go to a bar.)

Vayamos a una *CAFETERÍA*.
(Let's go to a café.)

Vayamos a un *RESTAURANTE*.
(Let's go to a restaurant.)

74

Sensaciones y opiniones: Feelings and Opinions

É	O	D	I	D	N	U	F	N	O	C	K	Í	C	Ü
A	H	E	M	O	N	Á	S	E	Ü	S	V	Ú	O	Z
A	R	U	G	E	S	S	U	Q	L	O	P	I	N	A
É	M	I	N	M	I	G	R	A	C	I	Ó	N	F	Ó
S	U	P	U	E	S	T	O	G	A	R	Z	U	U	O
A	E	N	T	R	E	T	E	N	I	D	O	X	N	L
Í	C	N	K	S	E	G	U	R	O	C	V	Í	D	U
M	L	U	M	C	T	E	C	E	R	A	P	Í	I	C
O	I	G	E	R	O	D	I	T	R	E	V	I	D	Á
N	M	U	I	R	P	A	R	E	C	I	D	O	A	T
O	Á	S	Ó	Ó	D	K	N	O	E	S	T	O	Y	C
C	T	T	P	P	R	O	B	L	E	M	A	S	C	E
E	I	A	Á	E	X	C	E	L	E	N	T	E	É	P
Y	C	D	S	A	R	M	X	B	E	Á	K	D	R	S
Ó	O	O	X	O	S	O	I	N	E	G	N	I	G	E

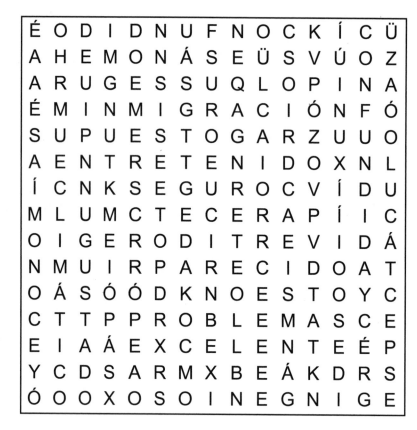

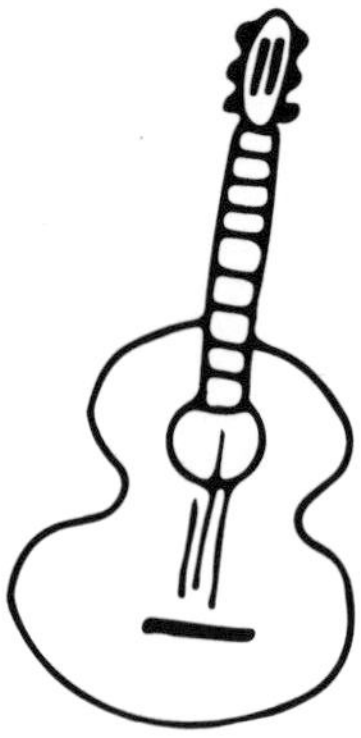

¿Le ha gustado el *ESPECTÁCULO*? (Did you like the show?)

Me ha parecido *ENTRETENIDO*. (I thought it was entertaining.)

Me ha parecido *DIVERTIDO*. (I thought it was funny.)

Me ha parecido *EXCELENTE*. (I thought it was excellent.)

Me ha parecido *INGENIOSO*. (I thought it was clever.)

Me ha *PARECIDO* mediocre. (I thought it was average.)

Me ha *GUSTADO*. (I liked it.)

NO ME HA gustado. (I did not like it.)

NO ESTOY de *ACUERDO*. (I disagree.)

Sí, *PERO* … (Yes, but …)

Por *SUPUESTO*. (Of course.)

Sin *PROBLEMAS*. (No problem.)

Estoy *FELIZ*. (I am happy.)

Estoy *TRISTE*. (I am sad.)

Estoy *CONFUNDIDO* / *CONFUNDIDA*. (I am confused.)

No estoy *SEGURO* / *SEGURA*. (I am not sure.)

¿Qué le *PARECE* a la gente la *ECONOMÍA*? (How do people feel about the economy?)

¿Qué *OPINA* la gente de la *INMIGRACIÓN*? (How do people feel about immigration?)

¿Qué opina la gente del cambio *CLIMÁTICO*? (How do people feel about climate change?)

75

Creencias y cultura: Beliefs and Culture

R	E	L	I	G	I	O	S	A	T	S	I	D	U	B
M	U	S	U	L	M	A	N	A	I	T	S	I	R	C
J	U	D	Í	A	A	G	N	Ó	S	T	I	C	O	A
C	W	O	S	O	I	G	I	L	E	R	J	L	D	E
C	O	N	T	A	R	M	E	F	S	K	É	A	I	T
V	V	N	C	R	E	E	N	C	I	A	S	C	D	A
C	X	E	T	N	A	S	E	R	E	T	N	I	N	C
E	O	W	P	R	O	B	A	R	L	O	C	T	E	I
Ü	N	S	J	C	A	T	Ó	L	I	C	O	S	F	L
O	Í	O	T	M	U	S	U	L	M	Á	N	Ó	O	Ó
A	Ü	O	D	U	C	R	I	S	T	I	A	N	O	T
I	Q	O	Í	R	M	T	J	Z	Z	O	M	G	W	A
R	X	U	E	D	E	B	R	A	Z	E	R	A	S	C
E	Ó	N	Í	T	U	P	R	O	F	E	S	A	O	J
Ú	D	N	I	H	A	J	G	E	P	E	Ñ	O	Q	É

¿Qué religión *PROFESA*?
(What is your religion?)

Soy *AGNÓSTICO* / *AGNÓSTICA*.
(I am agnostic.)

Soy *ATEO* / *ATEA*.
(I am an atheist.)

Soy *CATÓLICO* / *CATÓLICA*.
(I am Catholic.)

Soy *CRISTIANO* / *CRISTIANA*.
(I am a Christian.)

Soy *MUSULMÁN* / *MUSULMANA*.
(I am a Muslim.)

Soy *JUDÍO* / *JUDÍA*.
(I am Jewish.)

Soy *HINDÚ*. (I am Hindu.)

Soy *BUDISTA*.
(I am a Buddhist.)

Soy *SIJ*. (I am a Sikh.)

No soy *RELIGIOSO* / *RELIGIOSA*.
(I am not religious.)

Va en *CONTRA* de mis *CREENCIAS*.
(It is against my beliefs.)

¿Puedo *REZAR* aquí?
(Can I pray here?)

¿Es una *COSTUMBRE* de *AQUÍ*?
(Is this a local custom?)

Es muy *INTERESANTE*.
(It is very interesting.)

Me gustaría *PROBARLO*.
(I would like to try it.)

PERDONE si le he *OFENDIDO*.
(I am sorry if I offended you.)

¿Puede *CONTARME* más?
(Could you tell me more about it?)

76

En Perú: In Peru

E	I	N	A	T	S	U	L	L	I	S	C	S	E	O
N	C	O	R	I	C	A	N	C	H	A	E	A	A	L
I	Q	U	I	T	O	S	Q	A	M	D	C	A	S	L
N	S	C	J	I	Ó	Z	K	I	N	S	H	R	Í	A
A	O	A	A	C	Z	A	N	A	F	C	O	E	P	N
H	T	C	L	A	Ñ	O	B	J	O	K	Q	Q	A	T
C	A	M	N	C	G	A	R	M	A	S	U	U	L	A
N	C	D	A	A	A	O	J	É	A	J	E	I	É	Y
A	C	O	A	L	R	N	C	Z	Ñ	B	Q	P	U	T
H	R	Y	L	J	D	R	T	S	O	R	U	A	K	A
C	I	I	W	C	A	O	A	A	I	V	I	R	J	M
P	M	M	C	Ñ	A	R	N	B	Y	P	R	Ñ	U	B
A	M	A	Z	O	N	A	S	A	A	B	A	S	F	O
O	U	Í	Y	A	R	O	M	U	D	K	O	K	K	B
P	Í	S	A	C	I	N	C	A	R	O	C	N	Á	M

AMAZONAS
(Region with natural and archaeological significance)

ANDES

AREQUIPA (City)

BARRANCO (District of Lima)

Cañón del *COLCA*
(River canyon)

CHAN CHAN
(Archaeological site)

CHOQUEQUIRAO (Incan site)

PÍSAC INCA
(Village in Sacred Valley of the Incas)

El *CAMINO* del Inca
(Inca road system)

Huaca *RAJADA*
(Archaeological site)

IQUITOS (City)

KUÉLAP (Walled mountain settlement)

Lago *TITICACA*
(Lake Titicaca)

Las islas flotantes de los *UROS*
(Artificial floating islands)

LIMA (Capital city)

MÁNCORA (Beach resort)

MORAY (Archaeological site)

Líneas de *NAZCA*
(Nazca lines)

OLLANTAYTAMBO
(Archaeological site)

PISCO (Port city)

Plaza de *ARMAS* (Square)

Puerto *MALDONADO* (City)

CORICANCHA (Temple)

SALCANTAY
(Mountain in the Andes)

SILLUSTANI
(Pre-Incan cemetery)

Valle de *URUBAMBA*
(Sacred valley of the Incas)

77

La naturaleza: Nature

H	U	Ú	N	O	L	E	I	H	O	J	A	Á	K	Z
Y	É	S	N	Ü	X	A	Á	R	B	O	L	S	B	G
A	O	M	B	V	Q	Z	G	A	X	A	U	R	Á	V
L	M	K	O	C	É	A	N	O	Q	E	A	Ó	E	V
L	H	H	L	N	O	V	A	L	L	E	N	Ñ	N	E
E	R	I	A	M	T	L	Ñ	O	J	F	U	E	G	O
R	C	D	E	P	B	A	I	F	Í	P	L	Ú	P	K
T	Ú	I	O	R	L	Ñ	Ñ	N	L	A	R	E	N	A
S	W	R	E	L	B	A	C	A	A	V	L	T	N	E
E	Z	Í	U	L	Y	A	N	N	I	E	V	E	T	U
D	Ú	V	P	E	O	T	D	E	Z	C	B	Ú	I	Q
F	I	X	Z	R	A	J	N	I	T	Ú	Í	S	E	S
A	Ñ	A	D	J	Í	T	R	J	Z	A	L	Y	R	O
P	L	A	Y	A	O	O	E	É	A	A	H	W	R	B
R	A	M	Í	I	Ú	A	R	O	L	F	M	N	A	Ñ

El *AIRE* (Air)

La *PLAYA* (Beach)

La *TIERRA* (Earth)

El *FUEGO* (Fire)

La *FLOR* (Flower)

El *BOSQUE* (Forest)

La *HIERBA* (Grass)

La *COLINA* (Hill)

El *HIELO* (Ice)

La *ISLA* (Island)

El *LAGO* (Lake)

La *HOJA* (Leaf)

La *LUNA* (Moon)

La *MONTAÑA* (Mountain)

El *OCÉANO* (Ocean)

El *PLANETA* (Planet)

La *PLANTA* (Plant)

La *LLUVIA* (Rain)

El *RÍO* (River)

La *ARENA* (Sand)

El *MAR* (Sea)

El *CIELO* (Sky)

La *NIEVE* (Snow)

El *SUELO* (Soil)

La *ESTRELLA* (Star)

El *SOL* (Sun)

El *ÁRBOL* (Tree)

El *VALLE* (Valley)

La *OLA* (Wave)

El *VIENTO* (Wind)

78

Los animales: Creatures

Ñ	A	R	A	Ñ	A	P	A	T	O	C	I	Q	L	M
A	E	P	O	N	U	D	R	G	Á	V	I	J	O	D
M	J	T	A	B	E	J	A	Í	U	X	Ú	S	I	Á
Ó	A	E	N	U	S	L	É	G	E	T	C	G	N	M
G	Á	Ú	Y	A	C	A	L	A	F	A	R	I	J	E
C	E	R	D	O	F	K	P	A	C	O	F	O	L	N
B	P	Q	N	Z	P	E	A	O	B	G	F	R	T	Í
X	É	E	O	C	N	Ñ	L	G	A	U	T	O	N	F
Q	J	R	R	Á	A	C	I	E	R	V	O	T	Ó	L
O	R	B	M	R	R	B	N	Q	B	C	A	G	M	E
O	Í	I	Q	A	O	S	A	H	A	É	N	M	L	D
E	A	B	T	Í	L	M	Ú	L	C	R	A	C	A	V
C	C	A	L	A	M	A	R	H	L	Ó	R	T	S	L
H	I	P	O	P	Ó	T	A	M	O	O	M	G	Ú	K
E	T	N	E	I	P	R	E	S	S	M	K	X	A	N

La *ABEJA* (Bee)

La *ARAÑA* (Spider)

El *ATÚN* (Tuna)

La *BALLENA* (Whale)

El *CABALLO* (Horse)

La *CABRA* (Goat)

El *CAIMÁN* (Alligator)

El *CALAMAR* (Squid)

El *CERDO* (Pig)

El *CIERVO* (Deer)

El *CISNE* (Swan)

El *CONEJO* (Rabbit)

El *DELFÍN* (Dolphin)

El *ELEFANTE* (Elephant)

La *FOCA* (Seal)

El *GATO* (Cat)

El *HIPOPÓTAMO* (Hippopotamus)

La *JIRAFA* (Giraffe)

La *MOSCA* (Housefly)

El *PATO* (Duck)

El *PERRO* (Dog)

La *RANA* (Frog)

La *RATA* (Rat)

El *SALMÓN* (Salmon)

El *SAPO* (Toad)

La *SERPIENTE* (Snake)

El *TORO* (Bull)

La *TORTUGA* (Tortoise)

La *VACA* (Cow)

El *ZORRO* (Fox)

79

Las plantas y los árboles: Plants and Trees

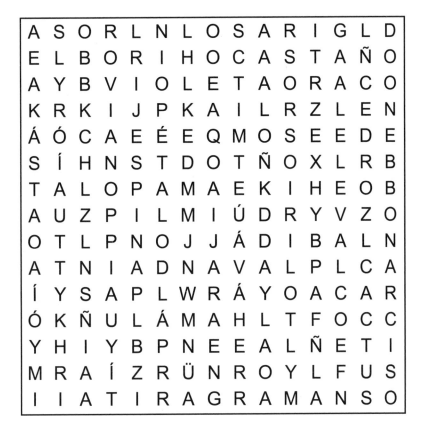

A	S	O	R	L	N	L	O	S	A	R	I	G	L	D
E	L	B	O	R	I	H	O	C	A	S	T	A	Ñ	O
A	Y	B	V	I	O	L	E	T	A	O	R	A	C	O
K	R	K	I	J	P	K	A	I	L	R	Z	L	E	N
Á	Ó	C	A	E	É	E	Q	M	O	S	E	E	D	E
S	Í	H	N	S	T	D	O	T	Ñ	O	X	L	R	B
T	A	L	O	P	A	M	A	E	K	I	H	E	O	B
A	U	Z	P	I	L	M	I	Ú	D	R	Y	V	Z	O
O	T	L	P	N	O	J	J	Á	D	I	B	A	L	N
A	T	N	I	A	D	N	A	V	A	L	P	L	C	A
Í	Y	S	A	P	L	W	R	Á	Y	O	A	C	A	R
Ó	K	Ñ	U	L	Á	M	A	H	L	T	F	O	C	C
Y	H	I	Y	B	P	N	E	E	A	L	Ñ	E	T	I
M	R	A	Í	Z	R	Ü	N	R	O	Y	L	F	U	S
I	I	A	T	I	R	A	G	R	A	M	A	N	S	O

El *ÁRBOL* (Tree)

El *ARBUSTO* (Bush)

La *PLANTA* (Plant)

La *FLOR* (Flower)

La *HOJA* (Leaf)

El *TALLO* (Stem)

La *ESPINA* (Thorn)

La *RAÍZ* (Root)

El *PÉTALO* (Petal)

El *MATORRAL* (Shrub)

El *POLEN* (Pollen)

El *ROBLE* (Oak)

El *OLMO* (Elm)

El *CEDRO* (Cedar)

El *HAYA* (f) (Beech)

El *CASTAÑO* (Chestnut)

La *PALMERA* (Palm)

El *CACTUS* (Cactus)

La *ROSA* (Rose)

El *TULIPÁN* (Tulip)

La *MARGARITA* (Daisy)

La *VIOLETA* (Violet)

El *CLAVEL* (Carnation)

El *LIRIO* (Lily)

El *GIRASOL* (Sunflower)

El *NARCISO* (Daffodil)

La *AMAPOLA* (Poppy)

La *LILA* (Lilac)

El *BREZO* (Heather)

La *LAVANDA* (Lavender)

80

Los accidentes geográficos: Geographical Features

N	N	M	O	N	T	A	Ñ	A	C	K	Ú	N	H	O
Á	V	S	L	E	E	A	O	Í	R	O	Á	Q	M	N
C	A	Á	F	P	E	N	Í	N	S	U	L	A	Ó	A
L	O	N	H	L	J	A	Ó	N	M	Ü	T	I	M	T
O	A	D	L	U	E	B	B	Ó	A	E	Ñ	O	N	N
V	A	A	R	Á	Ü	A	Ú	L	S	Í	L	O	Ó	A
A	V	V	I	O	C	S	L	E	A	E	H	Ñ	N	P
A	T	I	E	U	I	A	M	R	U	A	A	A	E	D
T	Ñ	S	E	U	N	F	D	H	W	C	T	G	B	E
A	W	N	O	U	C	N	C	V	A	L	S	I	O	S
R	C	Q	R	C	U	A	U	T	E	L	A	K	S	I
A	C	A	N	T	I	L	A	D	O	Y	G	U	Q	E
T	M	T	Q	R	W	R	O	N	A	É	C	O	U	R
A	F	O	F	L	O	G	Á	L	J	Í	Q	U	E	T
C	V	A	R	C	H	I	P	I	É	L	A	G	O	O

La *COLINA* (Hill)

La *MONTAÑA* (Mountain)

El *RÍO* (River)

El *MAR* (Sea)

El *RIACHUELO* (Stream)

El *BOSQUE* (Forest)

El *OCÉANO* (Ocean)

La *ISLA* (Island)

El *DESIERTO* (Desert)

La *TUNDRA* (Tundra)

La *LLANURA* (Plain)

La *BAHÍA* (Bay)

El *PANTANO* (Swamp)

La *PENÍNSULA* (Peninsula)

La *CUEVA* (Cave)

El *ACANTILADO* (Cliff)

La *COSTA* (Coast)

El *VALLE* (Valley)

La *CATARATA* (Waterfall)

El *VOLCÁN* (Volcano)

El *FIORDO* (Fjord)

La *PLAYA* (Beach)

El *GOLFO* (Gulf)

La *SABANA* (Savanna)

El *CAÑÓN* (Canyon)

La *CUENCA* (Basin)

El *DELTA* (Delta)

La *MESETA* (Plateau)

El *ARCHIPIÉLAGO* (Archipelago)

81

Novelistas españoles: Spanish Novelists

V	G	H	P	É	R	E	Z	R	E	V	E	R	T	E
C	A	R	V	L	L	A	M	A	Z	A	R	E	S	N
N	R	S	I	Z	A	U	O	G	M	A	R	T	Í	D
Á	C	Z	L	D	A	C	Ñ	Z	L	Í	B	R	A	E
M	Í	S	A	Y	A	Z	E	D	C	L	O	Z	J	L
E	A	I	M	Ü	Z	T	E	L	A	Z	L	A	O	I
L	M	S	A	Á	U	C	S	S	A	A	E	F	R	B
A	O	Q	T	T	O	A	C	V	G	F	T	Ó	A	E
B	R	W	A	A	Í	O	H	Q	T	A	O	N	B	S
E	A	M	S	R	I	É	S	R	A	M	L	R	T	O
N	L	I	A	B	M	O	N	T	E	R	O	D	E	Ü
Í	E	M	Á	D	E	P	E	R	E	D	A	V	Ó	T
T	S	Ñ	P	A	R	D	O	B	A	Z	Á	N	J	S
E	E	S	E	T	N	A	V	R	E	C	A	R	L	H
Z	M	E	N	É	N	D	E	Z	S	A	L	M	Ó	N

Ignacio *ALDECOA*

Mateo *ALEMÁN*

AZORÍN

Pío *BAROJA*

J.J. *BENÍTEZ*

Vicente *BLASCO IBÁÑEZ*

Camilo José *CELA*

Miguel de *CERVANTES*

José María *DE PEREDA*

Miguel *DELIBES*

Benito Pérez *GALDÓS*

Adelaida *GARCÍA MORALES*

Carmen *LAFORET*

Julio *LLAMAZARES*

Javier *MARÍAS*

Juan *MARSÉ*

Juan José *MARTÍ*

Ana María *MATUTE*

Ricardo *MENÉNDEZ SALMÓN*

Rosa *MONTERO*

Emilia *PARDO BAZÁN*

Arturo *PÉREZ-REVERTE*

Enrique *VILA-MATAS*

Carlos Ruiz *ZAFÓN*

María de *ZAYAS*

82

Urgencias: Emergencies

P	A	S	A	D	O	E	N	Í	U	Q	I	T	O	B
A	F	Ñ	H	A	S	N	E	C	E	S	I	T	A	B
D	É	U	Q	A	H	T	D	E	T	E	N	G	A	N
É	T	T	Y	E	N	Ó	É	Z	N	D	K	P	Z	B
A	V	Á	R	E	N	F	S	E	E	C	J	G	K	O
Í	V	I	G	D	Í	O	D	I	D	R	E	P	Y	M
R	D	R	E	Ñ	S	O	I	L	I	X	U	A	R	B
A	U	R	G	E	N	C	I	A	C	N	H	Á	T	E
S	O	C	O	R	R	O	A	Í	C	I	L	O	P	R
I	N	C	E	N	D	I	O	L	A	D	R	Ó	N	O
M	O	C	I	D	É	M	O	L	E	T	L	É	U	S
O	A	M	B	U	L	A	N	C	I	A	A	J	Í	B
C	E	H	C	O	C	H	O	S	P	I	T	A	L	M
E	M	B	A	J	A	D	A	O	D	I	N	E	T	O
L	L	A	M	E	N	E	T	R	O	P	A	S	A	P

¡*SOCORRO*! (Help!)

VÁYASE. (Please go away.)

¡*SUÉLTELO*! (Let go!)

¡*DETENGAN* al *LADRÓN*!
(Stop, thief!)

Es una *URGENCIA*.
(It is an emergency.)

¿*TIENE* un *BOTIQUÍN* de primeros *AUXILIOS*?
(Do you have a first aid kit?)

LLAMEN a la *POLICÍA*.
(Call the police.)

Llamen a un *MÉDICO*.
(Call a doctor.)

Llamen una *AMBULANCIA*.
(Call an ambulance.)

Llamen a los *BOMBEROS*.
(Call the fire department.)

¿Qué servicio *NECESITA*?
(What service do you require?)

¿*QUÉ* ha *PASADO*?
(What happened?)

HAY una persona *HERIDA*.
(Someone is injured.)

Hay un *INCENDIO*.
(There is a fire.)

Es muy *URGENTE*.
(It is very urgent.)

¿*DÓNDE* está la *EMBAJADA*?
(Where is the embassy?)

¿Dónde está el *HOSPITAL*?
(Where is the hospital?)

¿Dónde está la *COMISARÍA*?
(Where is the police station?)

He *PERDIDO* el *PASAPORTE*.
(I have lost my passport.)

He *TENIDO* un *ACCIDENTE* de *COCHE*.
(I have crashed my car.)

83

Policía: Police

W	J	C	H	É	M	O	D	A	C	A	R	T	A	M
R	C	O	O	H	E	O	C	Q	J	M	Ó	D	C	E
G	V	Z	U	C	M	C	N	O	X	Í	Ó	M	O	H
A	Í	N	E	T	H	M	R	E	D	N	A	V	M	A
A	R	P	N	L	S	E	Q	O	D	L	Q	E	I	N
R	O	P	Á	J	N	V	C	E	E	E	Á	T	S	L
E	B	I	Á	I	S	U	B	T	B	S	R	R	A	G
T	A	Ó	D	É	M	O	A	K	G	O	N	O	R	O
R	D	Ó	G	E	L	P	V	O	C	G	E	P	Í	X
A	O	L	N	S	N	V	M	X	O	I	I	A	A	N
C	W	T	O	É	A	T	M	N	D	T	U	S	N	S
A	O	E	B	L	E	É	I	E	A	S	G	A	Y	O
Q	Ü	L	L	G	A	Ú	S	D	S	E	L	P	D	S
U	S	E	S	N	T	T	K	W	A	T	A	I	L	P
Í	W	A	E	I	Á	H	É	F	P	D	S	V	C	A

¿Dónde *ESTÁ* la *COMISARÍA*?
(Where is the police station?)

Me han *ROBADO*.
(I have been robbed.)

Me han *ATRACADO*.
(I have been mugged.)

¿Qué aspecto *TENÍA*?
(What did he/she look like?)

¿Hay *TESTIGOS*?
(Was there a witness?)

¿*DÓNDE* ha *PASADO*?
(Where did it happen?)

Ha *SIDO* él. (It was him.)

Ha sido *ELLA*. (It was her.)

ME HAN robado el *BOLSO*.
(Someone has stolen my bag.)

Me han robado el *MONEDERO*.
(Someone has stolen my purse.)

Me han robado el *DINERO*.
(Someone has stolen my money.)

Me han robado la *MALETA*.
(Someone has stolen my suitcase.)

Me han robado el *MÓVIL*.
(Someone has stolen my phone.)

Me han robado la *CARTERA*.
(Someone has stolen my wallet.)

Me han robado el *PASAPORTE*.
(Someone has stolen my passport.)

Me han robado el *COCHE*.
(Someone has stolen my car.)

¿Dónde está su *DOCUMENTO* de *IDENTIDAD*?
(Where is your ID?)

AQUÍ tiene mi pasaporte.
(Here is my passport.)

¿*ALGUIEN* habla *INGLÉS*?
(Does someone speak English?)

84

Salud: Health

D	D	C	O	D	N	Á	U	C	I	N	G	L	É	S
O	S	E	D	S	O	I	R	A	D	N	U	C	E	S
C	A	R	A	Q	U	I	S	I	E	R	A	C	H	A
I	N	C	D	I	E	R	A	N	D	F	Ú	O	N	L
G	I	A	E	P	I	C	E	E	A	L	R	D	Ó	R
R	C	N	U	N	R	N	N	R	Ó	A	Ú	C	I	A
É	I	O	Q	O	E	T	M	Á	T	S	E	P	C	M
L	D	Ó	M	I	I	A	C	I	G	R	É	L	A	O
A	E	X	T	S	C	C	O	N	C	U	C	N	C	T
T	M	Ó	T	I	I	M	G	A	R	U	A	S	I	I
I	X	A	A	Ñ	É	M	N	G	Á	Ñ	S	E	D	S
P	Ü	T	E	D	X	A	E	N	A	É	G	G	E	E
S	O	Ñ	I	N	K	N	T	M	T	Ó	T	U	M	C
O	Ü	C	H	E	T	A	T	E	N	D	E	R	M	E
H	O	Ó	V	E	S	P	E	L	B	I	S	O	P	N

¿Dónde está la *FARMACIA* más *CERCANA*? (Where is the nearest pharmacy?)

¿Dónde está el *DENTISTA* más cercano? (Where is the nearest dentist?)

¿Dónde *ESTÁ* el médico más *CERCANO*? (Where is the nearest doctor?)

¿Dónde está el *HOSPITAL* más cercano? (Where is the nearest hospital?)

QUISIERA que me *DIERAN* hora lo antes *POSIBLE*. (I would like an appointment as soon as possible.)

Quisiera que me dieran *HORA* hoy *MISMO*. (I would like an appointment today.)

Quisiera que me dieran hora *MAÑANA*. (I would like an appointment tomorrow.)

Es muy *URGENTE*. (It is very urgent.)

TENGO seguro *MÉDICO*. (I have health insurance.)

NECESITO un médico que hable *INGLÉS*. (I need a doctor who speaks English.)

¿Puede *ATENDERME* una médica? (Could I see a female doctor?)

Me he *QUEDADO* sin *MEDICINAS*. (I have run out of medication.)

Esta es mi *MEDICACIÓN* habitual. (This is my usual medication.)

¿Cuántos / *CUÁNTAS* tengo que tomar? (How many should I take?)

¿*CUÁNDO* tengo que tomarlo / *TOMARLA*? (When should I take it?)

¿Es *SEGURO* para los *NIÑOS*? (Is it safe for children?)

¿*TIENE* efectos *SECUNDARIOS*? (Are there any side effects?)

Soy *ALÉRGICO* / *ALÉRGICA* a … (I am allergic to …)

85

Enfermedades y síntomas: Illnesses and Symptoms

P	G	Á	A	L	R	L	E	S	I	O	N	A	D	O
O	R	H	A	M	F	A	L	E	R	G	I	A	S	S
T	I	M	M	O	S	C	R	T	B	A	C	O	A	E
N	P	N	R	D	A	A	N	A	E	A	G	L	U	D
E	E	A	F	Í	S	E	T	R	B	A	E	I	É	O
I	R	O	D	E	U	A	R	O	M	U	P	B	C	D
M	O	O	D	C	C	A	R	Ó	M	A	J	É	A	R
I	D	A	N	N	I	C	T	P	E	S	T	D	B	A
Ñ	N	E	T	D	A	S	I	R	U	E	C	M	E	C
E	A	O	G	N	E	T	B	Ó	N	L	A	Ü	Z	I
R	T	T	O	É	A	E	I	F	N	R	L	C	A	P
T	I	N	Í	N	I	G	E	M	E	I	A	I	N	D
S	R	E	D	F	U	R	R	A	O	L	Q	P	D	Í
E	I	I	O	K	M	D	D	A	O	V	F	R	Í	O
Ó	T	S	S	O	C	A	M	R	G	D	U	E	L	E

Estoy *ENFERMO* / enferma.
(I am sick.)

ACABO de pasar la *GRIPE*.
(I have recently had flu.)

Me *DUELE* aquí. (It hurts here.)

Me he *LESIONADO*.
(I have been injured.)

Me he *CAÍDO*. (I fell.)

He estado *VOMITANDO*.
(I have been vomiting.)

Tengo un *SARPULLIDO*.
(I have a rash.)

Tengo una *ALERGIA*.
(I have an allergy.)

Tengo *FIEBRE*. (I have fever.)

Tengo *ASMA*. (I have asthma.)

Tengo *DIARREA*.
(I have an upset stomach.)

Me duele la *CABEZA*.
(I have a headache.)

Tengo una *INFECCIÓN*.
(I have an infection.)

Me duele el *ESTÓMAGO*.
(I have a stomach ache.)

Me duelen los *OÍDOS*.
(I have earache.)

Me duele la *GARGANTA*.
(I have a sore throat.)

TENGO tos. (I have a cough.)

Tengo *ESTREÑIMIENTO*.
(I have constipation.)

Me duelen las *MUELAS*.
(I have a toothache.)

Me ha *PICADO* un insecto.
(I was stung.)

Me *ENCUENTRO* mejor.
(I feel better.)

Me siento *RARO* / *RARA*.
(I feel strange.)

Me *SIENTO* peor. (I feel worse.)

Estoy *TIRITANDO*.
(I feel shivery.)

Me siento *DÉBIL*. (I feel weak.)

Estoy mareado / *MAREADA*.
(I feel dizzy.)

Estoy *MAL*. (I feel sick.)

Tengo *CALOR*. (I feel hot.)

Tengo *FRÍO*. (I feel cold.)

86

Las partes del cuerpo: Body Parts

U	F	K	H	F	H	E	B	O	C	Í	Ó	S	Q	F
Y	Í	É	G	O	S	D	E	D	O	E	É	Í	C	G
É	U	U	M	P	B	O	E	O	A	O	R	E	J	A
Í	Q	B	A	Ó	O	L	M	C	G	O	V	Z	L	R
I	R	L	M	O	C	É	E	A	N	H	S	H	S	G
O	D	G	F	Á	A	Ñ	M	A	N	R	E	I	P	A
A	R	G	R	N	U	Ó	M	C	O	T	A	L	Ó	N
L	I	A	Ó	M	T	A	N	D	Ñ	T	U	C	Y	T
U	Á	O	N	S	Ñ	A	I	B	H	O	A	Ó	O	A
B	G	L	E	U	R	L	R	E	R	B	G	J	L	L
Í	P	L	Ü	I	L	A	A	A	E	I	O	Z	Ñ	L
D	W	E	Z	A	Z	X	G	Z	C	L	O	A	E	I
A	I	U	C	O	Ü	L	A	I	Ü	L	V	I	L	J
M	É	C	O	H	U	Q	U	E	R	O	P	K	Í	E
Q	Ü	O	H	P	O	B	A	R	B	I	L	L	A	M

El *BRAZO* (Arm)

El *CODO* (Elbow)

La *CABEZA* (Head)

El *CUELLO* (Neck)

El *HOMBRO* (Shoulder)

El *PECHO* (Chest)

El *ESTÓMAGO* (Stomach)

La *PIERNA* (Leg)

La *MANO* (Hand)

El dedo *DEL* pie (Toe)

El *DEDO* (Finger)

La *RODILLA* (Knee)

El *OJO* (Eye)

La *PIEL* (Skin)

La *BOCA* (Mouth)

La *GARGANTA* (Throat)

La *CARA* (Face)

La *NARIZ* (Nose)

La *OREJA* (Ear)

La *MADÍBULA* (Jaw)

La *MEJILLA* (Cheek)

La *BARBILLA* (Chin)

La *UÑA* (Nail)

El *PULGAR* (Thumb)

La *MUÑECA* (Wrist)

El *TOBILLO* (Ankle)

El *TALÓN* (Heel)

El *LUNAR* (Mole)

La *ESPALDA* (Back)

87

Problemas: Problems

K	O	G	E	H	A	B	I	T	A	C	I	Ó	N	L
O	S	R	H	T	O	J	H	Ü	R	Á	F	R	P	I
Ü	D	Y	D	D	R	O	Ü	R	A	N	N	R	Y	V
O	T	I	I	E	T	O	E	X	M	F	E	O	O	Ó
Í	D	R	D	E	N	T	P	D	Á	O	B	D	O	M
Í	E	I	L	N	R	A	C	A	C	H	A	I	Í	E
H	D	O	D	A	U	A	D	U	S	L	R	E	M	M
D	C	D	S	R	R	F	P	O	E	A	S	M	O	R
O	X	A	W	T	E	A	N	C	R	T	P	R	N	A
L	D	I	E	J	D	P	N	O	O	V	F	B	E	D
O	J	R	I	A	J	A	H	Y	C	U	Ó	V	D	U
R	A	E	E	H	C	O	C	P	S	E	S	É	E	Y
I	N	V	E	N	O	N	O	F	É	L	E	T	R	A
D	L	A	A	M	R	E	F	N	E	O	K	R	O	F
A	Ó	E	D	E	E	J	A	P	I	U	Q	E	E	S

Me he *PERDIDO*. (I am lost.)

ESTOY dolorido / *DOLORIDA*.
(I am hurt.)

Estoy *HERIDO* / herida.
(I am injured.)

Estoy enfermo / *ENFERMA*.
(I am ill.)

Estoy *CONFUNDIDO* / confundida.
(I am confused.)

Estoy preocupado / *PREOCUPADA*.
(I am worried.)

¿Puede *AYUDARME*?
(Can you help me?)

¿Puedo usar su *TELÉFONO*?
(Can I use your phone?)

Tengo el *COCHE* averiado.
(My car has broken down.)

He perdido el *EQUIPAJE*.
(I have lost my luggage.)

He perdido el *PASAPORTE*.
(I have lost my passport.)

He perdido la *CARTERA*.
(I have lost my wallet.)

He perdido el *MONEDERO*.
(I have lost my purse.)

Tengo que arreglar la *CÁMARA*.
(My camera needs to be repaired.)

Tengo que arreglar el *ORDENADOR*.
(My computer needs to be repaired.)

Tengo que arreglar el *MÓVIL*.
(My smartphone needs to be repaired.)

El coche se ha *AVERIADO*.
(My car has broken down.)

He perdido el *VUELO*.
(I have missed my flight.)

No me gusta el *HOTEL*.
(I do not like my hotel.)

No me gusta la *HABITACIÓN*.
(I do not like my room.)

SUFRO desfase *HORARIO*.
(I have jetlag.)

Mi vuelo se ha *RETRASADO*.
(My flight is delayed.)

Mi vuelo se ha *CANCELADO*.
(My flight has been cancelled.)

88

Comer fuera: Eating Out

B	R	Ó	E	T	O	S	A	N	O	S	R	E	P	Y
E	S	H	B	T	T	A	R	E	I	S	I	U	Q	S
B	C	E	L	S	N	Í	Ó	A	S	C	O	R	C	C
I	Z	E	L	T	E	A	S	C	V	E	A	E	A	D
D	Q	U	R	A	I	G	R	R	L	R	R	F	Y	C
A	U	A	L	A	S	B	E	U	E	R	E	B	Ó	Á
S	E	É	D	V	K	M	Z	P	A	T	L	S	I	K
R	D	U	Y	N	O	P	S	D	E	T	I	Ó	E	L
E	A	Q	F	C	E	E	O	R	C	U	S	Í	O	R
B	N	M	K	A	M	I	Í	R	A	E	T	E	D	Ü
E	E	E	Y	R	C	A	M	I	F	I	A	O	R	Ñ
B	C	S	L	A	L	O	T	O	D	A	V	Í	A	C
Ó	Ú	A	V	P	H	Í	Z	X	C	F	V	X	T	L
A	D	I	M	O	C	A	N	N	M	E	Y	O	F	O
Ó	F	O	N	U	Y	A	S	E	D	G	R	Ó	R	V

El *DESAYUNO* (Breakfast)

La *COMIDA* (Lunch)

La *CENA* (Dinner)

COMER (Eat)

BEBER (Drink)

QUISIERA … (I would like …)

¿*QUÉ* bar me *RECOMIENDA*?
(Can you recommend a bar?)

¿Qué *CAFETERÍA* me recomienda?
(Can you recommend a café?)

¿Qué *RESTAURANTE* me recomienda?
(Can you recommend a restaurant?)

¿*TODAVÍA* sirven comidas?
(Are you still serving food?)

Lo *SIENTO*, está *CERRADO*.
(Sorry, we are closed.)

No nos *QUEDAN* mesas *LIBRES*.
(We have no free tables.)

Quisiera *RESERVAR* una *MESA*.
(I would like to reserve a table.)

PARA … *PERSONAS*.
(For … people.)

A LAS … (At … o'clock)

¿*HAY* que *ESPERAR* mucho?
(How long is the wait?)

¿Me trae la *LISTA* de *BEBIDAS*, por favor?
(I would like the drinks list, please.)

¿Me *TRAE* el menú, *POR FAVOR*?
(I would like the menu, please.)

89

En el menú: On the Menu

H	E	R	V	I	D	A	E	S	T	O	F	A	D	O
A	E	N	S	A	L	A	D	A	O	Z	A	Z	H	Q
V	N	C	A	D	O	B	A	D	O	P	D	E	Z	P
A	L	A	H	A	D	U	R	C	I	O	A	N	G	O
P	J	E	I	O	O	Ü	Y	C	P	I	E	T	U	S
O	R	D	H	R	O	D	A	L	A	B	T	R	A	T
R	O	I	S	E	A	N	A	Z	O	I	L	A	R	R
A	E	D	M	Ü	T	T	E	Z	D	T	A	N	N	E
L	T	D	A	E	O	V	E	L	O	Q	S	T	I	P
L	N	A	Í	S	R	W	F	G	L	B	V	E	C	U
I	E	Q	D	E	A	H	R	Ó	E	E	E	S	I	N
R	I	V	C	A	E	Q	Í	K	G	V	R	R	Ó	T
R	L	G	M	C	R	B	A	A	I	P	H	Y	N	O
A	A	É	H	Ñ	P	U	N	O	W	F	R	I	T	O
P	C	A	Ó	U	S	O	C	S	E	R	F	E	R	I

Los *ENTRANTES* (Appetisers)

La *CERVEZA* (Beer)

La *SOPA* (Soup)

El *PRIMER* plato (Starter)

La *ENSALADA* (Salad)

El *POSTRE* (Dessert)

Los *REFRESCOS* (Soft drinks)

Los segundos *PLATOS* (Main courses)

FRITO / frita (Fried)

Salteado / *SALTEADA* (Sautéed)

ASADO / asada (Roasted)

Al *PUNTO* (Medium)

Poco hecho / poco *HECHA* (Rare)

Muy *HECHO* / muy hecha (Well done)

Al *VAPOR* (Steamed)

La *GUARNICIÓN* (On the side)

RELLENO / rellena (Stuffed)

Crudo / *CRUDA* (Raw)

ADOBADO / adobada (Marinated)

Hervido / *HERVIDA* (Boiled)

REBOZADO / rebozada (In batter)

A la *PARRILLA* (Grilled)

Vegetariano / *VEGETARIANA* (Vegetarian)

VEGANO / vegana (Vegan)

Curado / *CURADA* (Cured)

ESTOFADO / estofada (Stewed)

PICANTE (Spicy)

TIBIO / tibia (Mild)

CALIENTE (Hot)

Frío / *FRÍA* (Cold)

90

Las bebidas: Drinks

L	O	T	N	I	T	M	A	C	A	Í	Á	Á	J	L
E	H	A	Ó	Ó	V	U	T	A	E	Ú	V	M	N	H
C	G	Z	O	Í	M	E	X	P	R	E	S	O	Y	Ó
H	I	A	Z	G	E	I	A	U	Á	E	R	Í	P	A
E	N	Ú	S	A	Ó	Z	L	C	Ú	Ü	R	N	A	Ó
X	T	I	S	Y	E	D	L	H	E	O	S	A	D	C
C	O	N	S	V	A	I	E	I	C	P	Ó	H	A	H
N	N	S	R	G	M	N	T	N	Q	F	I	Ñ	J	O
E	I	E	S	O	L	O	A	O	T	E	E	M	N	C
H	C	I	N	Z	F	L	M	Z	L	A	P	Z	A	O
T	Y	A	Í	Q	B	H	O	O	N	J	Z	J	R	L
R	D	É	F	E	O	É	T	V	Ñ	A	Z	Ó	A	A
A	Y	A	L	L	I	N	A	Z	N	A	M	B	N	T
E	D	R	E	V	L	S	C	A	L	I	E	N	T	E
Á	Á	R	H	B	O	T	E	L	L	A	A	Ñ	I	P

La *BOTELLA* (Bottle)

El *VASO* (Glass)

La *TAZA* (Cup)

El *TAZÓN* (Mug)

La *LECHE* (Milk)

El *LIMÓN* (Lemon)

El café *SOLO* (Black coffee)

El café *EXPRESO* (Espresso)

El *CAPUCHINO* (Cappuccino)

El té *VERDE* (Green tea)

La *MANZANILLA* (Chamomile)

El *CHOCOLATE* a la taza (Hot chocolate)

La *LIMONADA* (Lemonade)

La *NARANJADA* (Orange juice)

El zumo de *PIÑA* (Pineapple juice)

El zumo de *MANZANA* (Apple juice)

El zumo de *TOMATE* (Tomato juice)

El vino *CALIENTE* (Mulled wine)

El café con *HIELO* (Iced coffee)

El *GINTONIC* (Gin and tonic)

El agua *SIN* gas (f) (Still water)

El agua *CON* gas (f) (Sparkling water)

La *CERVEZA* (Beer)

El vino *BLANCO* (White wine)

El vino *TINTO* (Red wine)

El *RON* (Rum)

Los alimentos: Food

Z	A	É	Í	W	C	Ñ	E	A	Ó	C	C	E	S	G
E	K	H	U	E	V	O	S	N	R	A	Ü	E	O	P
S	É	L	R	L	W	E	Y	A	R	B	V	E	E	A
A	H	E	Y	O	G	U	R	B	S	A	I	S	D	V
P	A	S	T	E	L	R	O	D	C	A	C	F	I	I
L	Á	U	S	C	G	N	F	E	U	A	R	V	F	T
Ó	Ü	Á	Ú	H	O	R	I	F	D	R	P	G	S	A
L	E	N	A	P	U	T	F	O	U	A	A	E	I	M
G	A	H	Z	T	E	S	Q	R	S	R	L	S	Z	I
A	O	S	A	N	Z	U	O	T	Á	A	M	C	É	N
L	R	Ü	I	S	E	Z	A	C	R	S	O	P	A	A
L	Á	R	S	S	Y	Ó	M	E	E	S	Ó	D	Á	S
E	P	R	O	T	E	Í	N	A	I	S	Í	K	X	Y
T	Z	W	Ó	Z	E	I	Ó	U	R	A	C	Ú	Z	A
A	S	E	R	B	M	U	G	E	L	E	C	H	E	E

La *GALLETA* (Biscuit)

El *PAN* (Bread)

El *PASTEL* (Cake)

Los hidratos de *CARBONO* (Carbohydrates)

El *CEREAL* (Cereal)

El *QUESO* (Cheese)

Los *HUEVOS* (Eggs)

Las *GRASAS* (Fats)

La *FIBRA* (Fibre)

El *PESCADO* (Fish)

La *FRUTA* (Fruit)

Las *LEGUMBRES* (Legumes)

La *CARNE* (Meat)

La *LECHE* (Milk)

Los *MINERALES* (Minerals)

Los *FIDEOS* (Noodles)

Los frutos *SECOS* (Nuts)

El *ACEITE* (Oil)

La *PASTA* (Pasta)

Las *AVES* (Poultry)

La *PROTEÍNA* (Protein)

El *ARROZ* (Rice)

La *SAL* (Salt)

La *SOPA* (Soup)

El *GUISO* (Stew)

El *AZÚCAR* (Sugar)

Las *VERDURAS* (Vegetables)

Las *VITAMINAS* (Vitamins)

El *YOGUR* (Yogurt)

92

Platos típicos mexicanos: Mexican Foods and Dishes

Í	T	C	H	I	L	A	Q	U	I	L	E	S	Ó	Y
D	A	G	M	M	O	L	L	E	T	E	S	E	W	S
I	C	Q	D	O	H	H	B	O	L	I	L	L	O	S
C	O	O	O	L	L	I	D	A	C	I	P	T	A	A
H	A	M	A	P	S	O	W	I	W	L	I	N	D	L
A	L	É	I	V	A	I	T	J	Í	R	Í	O	N	S
L	P	U	G	S	P	P	B	E	E	S	E	Z	U	A
U	A	E	S	Ú	I	U	A	M	S	A	N	U	R	R
P	S	N	Q	O	R	O	O	D	O	L	C	A	O	O
A	T	M	L	R	T	R	T	Ú	Z	B	H	U	C	J
U	O	Ó	I	E	O	I	W	E	A	U	I	H	D	A
V	R	T	O	N	N	Ñ	U	A	B	T	L	L	R	C
Ü	O	O	G	Ó	P	G	X	Q	M	E	A	E	Z	F
P	Y	A	V	D	Ñ	C	U	Q	A	S	D	T	S	V
L	O	N	G	A	N	I	Z	A	P	T	A	L	Á	P

BOLILLOS (a smaller variation of a baguette)

BURRITO (flour tortillas with one or two of a variety of fillings)

CHALUPA (deep fried masa dough with various fillings)

CHILAQUILES (corn tortillas lightly fried with salsa and garnishes)

CORUNDA (triangular steamed dumpling eaten with cream and salsa)

ENCHILADA (filled corn tortillas covered with a sauce)

HUAUZONTLES (cheese-stuffed vegetable patties served with sauce)

LENGUA (beef tongue often served in tacos)

LONGANIZA (spicy sausage similar to chorizo)

MISIOTE (traditional pit-barbecued meat dish)

MOLLETES (hollowed bolillis filled with refried beans and cheese)

MOLOTES (corn-based pastry served as a side dish)

MORONGA (spiced blood sausage)

PAMBAZOS (dipped, fried bread with pepper sauce)

PAPADZULES (filled corn tortilla dipped in pumpkin seed sauce)

PICADILLO (mince dish often served with rice or in tacos)

ROMERITOS (boiled seepweed served in a mole sauce)

SALBUTES (puffed fried tortilla with toppings)

SALSA ROJA (spicy red sauce)

TACO AL PASTOR (tacos filled with spiced slow-cooked pork)

TAQUITOS (deep-fried, filled, rolled tortilla)

TRIPAS (boiled and grilled intestines, often a taco filling)

93

La carne y el pescado: Meat and Fish

E	T	E	L	I	F	L	B	C	D	A	A	P	Ü	S
D	E	O	D	R	E	C	A	É	B	R	Í	C	A	X
C	K	T	S	D	R	N	C	M	P	A	T	A	O	Ó
A	P	J	V	O	G	S	A	L	C	H	I	C	H	A
L	U	É	I	R	C	G	L	A	N	G	O	S	T	A
A	L	T	E	A	C	H	A	D	A	C	I	P	D	S
M	P	J	I	D	O	A	O	N	J	O	Í	F	U	N
A	O	S	R	A	N	P	E	R	L	U	B	I	N	A
R	J	C	A	I	E	V	J	L	I	I	W	N	S	E
W	Y	H	D	S	J	T	O	A	S	Z	T	J	N	N
G	M	R	C	U	O	P	R	T	M	F	O	P	Ó	R
X	A	A	P	Y	Ñ	Z	E	U	O	Ó	A	A	M	A
S	D	A	Z	B	F	C	Á	É	C	T	N	T	L	C
O	V	O	R	E	D	R	O	C	O	H	L	Ú	A	Z
O	M	E	J	I	L	L	O	N	E	S	A	N	S	V

El *JAMÓN* (Ham)

La carne *PICADA* (Ground beef)

El *BISTEC* (Steak)

La *SALCHICHA* (Sausage)

Los *MEJILLONES* (Mussels)

El *CHORIZO* (Chorizo)

El *PATO* (Duck)

El *POLLO* (Chicken)

El *PAVO* (Turkey)

La *OCA* (Goose)

El *CORDERO* (Lamb)

El *CERDO* (Pork)

El *ATÚN* (Tuna)

El *CALAMAR* (Squid)

El *BACALAO* (Cod)

La *LUBINA* (Sea bass)

La *DORADA* (Sea bream)

La *SARDINA* (Sardine)

El *CANGREJO* (Crab)

La *LANGOSTA* (Lobster)

El *PULPO* (Octopus)

La *GAMBA* (Shrimp)

El *FILETE* (Fillet)

La *PATA* (Leg)

El *CONEJO* (Rabbit)

El *SALMÓN* (Salmon)

La *VIEIRA* (Scallop)

La *TRUCHA* (Trout)

La *CARNE* (Meat)

El *PESCADO* (Fish)

94

Las frutas y las verduras: Fruits and Vegetables

S	A	Z	E	R	E	C	O	T	N	E	I	M	I	P
A	C	A	N	I	P	S	E	P	P	N	O	C	R	A
G	U	I	S	A	N	T	E	S	O	E	H	I	N	J
M	E	S	O	R	J	P	Ó	N	S	A	R	A	P	N
E	H	C	C	A	I	T	A	P	M	U	Z	A	Y	A
L	T	Í	I	N	P	T	Ñ	P	R	N	C	R	C	R
O	J	A	O	R	Á	L	I	D	A	F	R	E	S	A
C	A	O	M	L	U	Ñ	P	M	L	I	M	Ó	N	N
O	M	G	P	O	Ó	E	C	A	T	A	T	A	P	C
T	I	N	M	N	T	I	L	O	C	Ó	R	B	P	E
Ó	L	A	A	R	Á	N	D	A	N	O	Ú	T	O	B
N	J	M	U	G	U	I	N	D	I	L	L	A	M	O
F	F	V	A	L	B	A	R	I	C	O	Q	U	E	L
Z	A	N	A	H	O	R	I	A	Ó	H	J	D	L	L
S	N	E	C	A	N	I	R	A	T	C	E	N	O	A

La *NARANJA* (Orange)
El *LIMÓN* (Lemon)
El *MELOCOTÓN* (Peach)
La *NECTARINA* (Nectarine)
La *LIMA* (Lime)
Las *CEREZAS* (Cherries)
El *ALBARICOQUE* (Apricot)
La *CIRUELA* (Plum)
El *POMELO* (Grapefruit)
El *ARÁNDANO* (Blueberry)
La *FRESA* (Strawberry)
La *PIÑA* (Pineapple)
Las *UVAS* (Grapes)
La *PERA* (Pear)
La *MANZANA* (Apple)
El *MANGO* (Mango)
El *PLÁTANO* (Banana)
La *PATATA* (Potato)
El *PIMIENTO* (Pepper)
La *ZANAHORIA* (Carrot)
La *GUINDILLA* (Chili)
El *TOMATE* (Tomato)
La *CEBOLLA* (Onion)
El *AJO* (Garlic)
El *CHAMPIÑÓN* (Mushroom)
Los *GUISANTES* (Peas)
El *PEPINO* (Cucumber)
La *ESPINACA* (Spinach)
El *BRÓCOLI* (Broccoli)
El *APIO* (Celery)

95

El menaje de cocina y mesa: Kitchen and Tableware

Y	C	L	S	E	R	V	I	L	L	E	T	A	R	A
S	O	Ú	Á	R	O	D	I	R	B	A	L	O	R	R
B	A	E	S	P	Á	T	U	L	A	H	D	C	O	O
Q	L	C	U	C	H	I	L	L	O	A	O	Í	D	D
O	L	R	A	T	R	O	C	R	L	N	Y	I	E	I
C	E	A	P	C	É	U	N	L	I	A	R	O	N	T
N	T	L	S	K	O	E	A	V	N	O	S	Ú	E	A
E	O	O	I	E	A	R	E	I	D	A	Í	R	T	B
U	B	R	A	R	M	D	C	I	V	I	U	C	Á	P
C	H	E	D	M	A	O	R	H	L	P	I	F	Ú	E
E	Y	C	S	P	C	R	Á	B	O	A	L	Q	S	L
M	H	A	O	M	U	T	A	Z	A	S	T	A	P	A
Ú	B	C	L	C	A	H	C	N	A	L	P	A	T	D
J	I	P	S	U	N	M	U	A	R	E	P	O	S	O
A	R	E	D	A	M	C	A	Z	U	E	L	A	Y	R

La tabla de *CORTAR* (Cutting board)

La bandeja para *HORNEAR* (Baking sheet)

El cuchillo de *COCINA* (Chef's knife)

El *PELADOR* (Peeler)

El abridor de *LATAS* (Can opener)

El *ABRIDOR* de botellas (Bottle opener)

El *SACACORCHOS* (Corkscrew)

El *RALLADOR* (Grater)

La cuchara de *MADERA* (Wooden spoon)

La *ESPÁTULA* (Spatula)

La *PLANCHA* (Griddle pan)

El *ESCURRIDOR* (Colander)

La *CACEROLA* (Saucepan)

La *CAZUELA* (Casserole dish)

El *CUENCO* (Mixing bowl)

La *BATIDORA* (Blender)

La cuchara *SOPERA* (Soup spoon)

El *TENEDOR* (Fork)

El *CUCHILLO* (Knife)

El *PLATO* (Plate)

El *BOL* (Bowl)

La *MESA* (Table)

El *VASO* (Glass)

La *COPA DE VINO* (Wineglass)

La *TAZA* (Cup)

La *SERVILLETA* (Napkin)

La *BOTELLA* (Bottle)

96

Platos típicos españoles: Spanish Foods and Dishes

A	L	B	Ó	N	D	I	G	A	S	O	T	S	I	P
G	R	E	Ó	C	P	L	E	N	T	E	J	A	S	Í
B	S	M	Í	S	O	A	S	O	R	R	U	H	C	O
É	A	V	A	E	H	C	E	B	A	C	S	E	G	J
J	L	V	M	T	P	U	I	L	B	Á	Y	S	A	O
L	M	N	U	M	E	E	D	D	L	Q	É	W	Z	M
E	O	G	T	U	R	R	Ó	N	O	A	V	Ú	P	N
C	R	A	O	R	M	O	I	B	A	C	A	L	A	O
H	E	C	Q	I	Ü	S	P	H	I	A	G	L	C	C
E	J	H	G	Y	M	Ü	F	A	C	Ü	F	E	H	S
F	O	A	E	E	Ü	I	Y	L	V	Ú	Í	X	O	A
R	S	S	Y	A	D	A	B	A	F	I	R	L	S	P
I	S	A	T	E	U	Q	O	R	C	Ú	E	N	V	A
T	Q	I	U	T	O	R	R	I	J	A	S	J	P	P
A	É	Á	A	L	L	I	T	R	O	T	Y	É	A	G

ALBÓNDIGAS (meatballs in garlic tomato sauce)

BACALAO (salted, dried cod)

CHIRETA (offal dish of stuffed sheep intestines)

CHURROS (fried-dough pastry)

COCIDO (chickpea-based stew from Madrid)

CROQUETAS (lightly breaded fried fritters)

ESCABECHE (light dish of meat or fish marinated and cooked in an acidic mixture)

FABADA (rich bean stew)

FIDEUÁ (seafood dish similar to paella with pasta in place of rice)

FLAN (custard dessert with caramel sauce)

GACHAS (a basic dish with flour, water, olive oil, garlic, paprika and salt)

GAZPACHO (vegetable soup served cold)

JAMÓN (dry-cured ham)

LECHE FRITA (a dough of milk and sugar fried and served with sugar glaze and cinnamon)

LENTEJAS (lentil stew)

MIGAS (traditionally a breakfast dish made with leftover bread)

PAELLA (well-known Spanish rice dish from Valencia)

PAPAS CON MOJO (potato side dish with sauce)

PISTO (stew with tomatoes, onions, and other vegetables)

ROPA VIEJA (shredded steak dish)

SALMOREJO (pureed tomato, bread, oil and garlic)

TORRIJAS (fried bread dish similar to French toast)

TORTILLA (an omelette made with eggs and potatoes)

TURRÓN (a nougat confection traditionally eaten at Christmas)

97

Las hierbas y las especias: Herbs and Spices

S	O	V	A	L	C	N	C	A	N	E	L	A	E	C
C	A	R	D	A	M	O	M	O	A	P	S	R	Ü	H
E	N	E	L	D	O	Q	Q	Y	M	R	B	B	E	A
J	N	T	E	F	A	É	P	I	M	I	E	N	T	A
I	Á	Ó	M	O	L	I	D	O	G	T	N	T	H	N
S	R	O	T	A	L	L	I	N	I	A	V	O	N	U
A	F	L	O	P	I	M	E	N	T	Ó	N	B	O	E
L	A	L	R	L	D	J	A	N	E	Y	A	C	N	Z
L	Z	I	E	E	N	Ñ	E	S	E	J	O	T	A	M
I	A	M	M	R	I	M	O	A	A	A	E	N	G	O
M	T	O	O	U	U	L	K	J	J	R	Í	M	É	S
E	S	T	R	A	G	Ó	N	M	O	S	V	É	R	C
S	O	N	I	L	L	O	B	E	C	N	Ñ	Y	O	A
G	M	Í	X	A	D	I	L	O	M	N	I	C	H	D
U	Ó	Ó	H	A	C	A	H	A	B	L	A	H	M	A

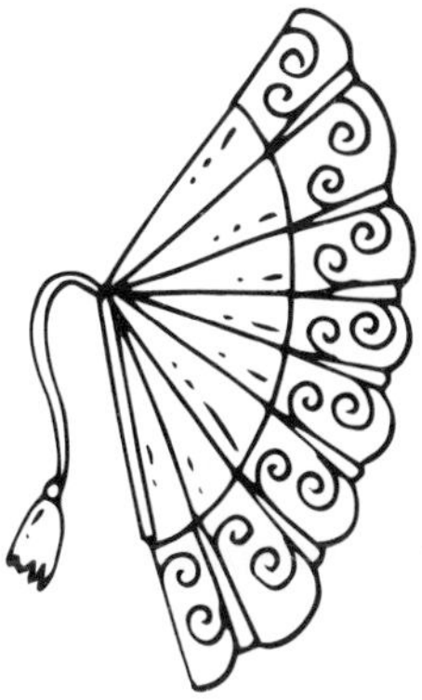

El *ANÍS* estrellado (Star anise)

La *ALBAHACA* (Basil)

El *LAUREL* (Bayleaf)

El *CARDAMOMO* (Cardamom)

La pimienta de *CAYENA* (Cayenne pepper)

La *GUINDILLA* (Chili)

Los *CEBOLLINOS* (Chives)

La *CANELA* (Cinnamon)

Los *CLAVOS* (Cloves)

El *COMINO* (Cumin)

El *ENELDO* (Dill)

El *HINOJO* (Fennel)

El *AJO* (Garlic)

El *JENGIBRE* (Ginger)

La *MENTA* (Mint)

La *MOSTAZA* (Mustard)

La *NUEZ MOSCADA* (Nutmeg)

El *ORÉGANO* (Oregano)

El *PIMENTÓN* (Paprika)

El *ROMERO* (Rosemary)

El *AZAFRÁN* (Saffron)

El *ESTRAGÓN* (Tarragon)

El *TOMILLO* (Thyme)

La *VAINILLA* (Vanilla)

MOLIDO / *MOLIDA* (Ground)

ENTERO / *ENTERA* (Whole)

Las *SEMILLAS* (Seeds)

Los granos de *PIMIENTA* (Peppercorns)

98

Novelas en lengua española: Spanish Language Novels

S	A	L	L	A	T	A	B	S	A	M	R	O	F	O
Y	U	G	Ñ	W	V	A	G	E	N	E	R	A	L	D
E	B	V	H	I	T	A	L	B	E	I	N	O	D	A
T	I	D	E	S	I	E	R	T	O	J	Z	I	I	N
A	R	N	E	W	V	O	O	A	K	É	I	C	S	E
L	T	I	J	R	N	C	J	P	Ñ	Ó	R	R	T	T
O	F	E	R	G	N	A	S	O	C	A	T	O	A	N
C	S	I	M	A	G	I	N	A	R	I	A	V	N	E
O	D	E	L	V	O	L	V	E	R	N	C	I	C	S
H	V	B	B	B	S	A	C	T	C	A	I	D	I	A
C	Y	P	E	Q	U	E	Ñ	A	S	D	C	R	A	Í
C	O	R	A	Z	Ó	N	S	C	H	A	M	Á	N	R
N	M	V	I	D	A	A	K	S	O	M	B	R	A	O
T	F	S	O	I	N	O	M	E	D	B	R	E	V	E
C	H	I	V	O	T	N	I	R	E	B	A	L	B	T

CICATRIZ (Scar)

Como agua para *CHOCOLATE* (Like Water for Chocolate)

CORAZÓN tan *BLANCO* (A Heart So White)

Del amor y otros *DEMONIOS* (Of Love and Other Demons)

DISTANCIA de *RESCATE* (Fever Dream)

DIVORCIO en el aire (Divorce is in the Air)

El *BESO* de la mujer *ARAÑA* (Kiss of the Spider Woman)

El *CHAMÁN* de la *TRIBU* (The Shaman of the Tribe)

El *ENTENADO* (The Witness)

El *GENERAL* en su *LABERINTO* (The General in His Labyrinth)

FORMAS de *VOLVER* a *CASA* (Ways of Going Home)

La *BREVE* y maravillosa *VIDA* de Oscar Wao (The Brief and Wondrous Life of Oscar Wao)

Las *BATALLAS* en el *DESIERTO* (The Battles in the Desert)

La *FIESTA* del *CHIVO* (The Feast of the Goat)

Las manos *PEQUEÑAS* (Such Small Hands)

La *SOMBRA* del *VIENTO* (The Shadow of the Wind)

Las *TEORÍAS* salvajes (Savage Theories)

La vida *IMAGINARIA* (The Imaginary Life)

NADA (Nothing)

NIEBLA (Mist)

SANGRE en el *OJO* (Seeing Red)

99

Las personas: People

E	T	N	E	I	R	A	P	A	A	J	I	K	E	A
S	V	T	X	Í	A	T	R	E	M	Ñ	Ü	N	R	D
P	L	O	T	Í	G	L	Z	E	Q	I	I	Y	B	A
O	E	D	R	N	E	U	L	T	Ñ	U	G	N	M	L
S	X	I	A	O	L	D	P	N	Ñ	A	E	A	O	I
A	T	C	Ñ	V	O	L	X	E	Í	C	P	Ñ	H	B
M	R	O	A	I	C	A	J	C	O	C	H	M	O	U
I	A	N	I	A	G	Ñ	J	S	U	N	H	I	O	J
G	Ñ	O	M	V	A	N	I	E	R	E	A	É	C	C
O	O	C	I	A	O	J	U	L	R	O	N	M	C	O
É	W	Y	C	D	R	N	G	O	E	A	Ñ	I	U	H
U	B	I	E	U	H	I	Í	D	J	V	P	I	É	H
Ó	H	E	J	L	N	N	D	A	U	Y	Z	R	N	R
C	R	Ü	B	T	A	É	Y	O	M	R	O	Y	E	Ü
D	V	O	S	O	P	S	E	A	E	E	K	Y	Ñ	V

El ser *HUMANO* (Human being)

El *HOMBRE* (Man)

La *MUJER* (Woman/wife)

El *CHICO* (Boy)

La *CHICA* (Girl)

El *BEBÉ* (Baby)

El niño *PEQUEÑO* / la niña pequeña (Toddler)

El *NIÑO* / la *NIÑA* (Child)

El *ADULTO* / la *ADULTA* (Adult)

El adolescente / la *ADOLESCENTE* (Teenager)

El jubilado / la *JUBILADA* (Retiree)

El *CONOCIDO* / la conocida (Acquaintance)

El *AMIGO* / la *AMIGA* (Friend)

El pariente / la *PARIENTE* (Relative)

El colega / la *COLEGA* (Colleague)

El *HÉROE* (Hero)

La *HEROÍNA* (Heroine)

El *REY* (King)

La *REINA* (Queen)

El compañero de habitación / la *COMPAÑERA* de habitación (Roommate)

El *EXTRAÑO* / la *EXTRAÑA* (Stranger)

La *PAREJA* (Partner)

Le *ESPOSO* / la *ESPOSA* (Spouse)

El *MARIDO* (Husband)

La *NOVIA* (Girlfriend)

El *NOVIO* (Boyfriend)

100

Los rasgos de la personalidad: Personality Traits

F	É	T	O	D	A	D	I	U	C	S	E	D	O	É
A	H	R	D	M	K	M	E	N	G	R	E	Í	D	A
S	A	A	A	O	I	A	N	E	S	S	O	I	D	J
O	B	B	C	S	K	T	L	Z	R	D	H	A	G	Ó
R	L	A	U	O	T	B	Ó	E	U	G	R	C	T	A
E	A	J	D	S	A	U	T	R	O	N	E	Í	O	S
N	D	A	E	I	E	N	A	C	O	L	M	L	D	O
E	O	D	F	A	E	T	I	H	B	I	I	C	A	I
G	R	O	N	I	S	T	S	A	D	U	O	V	R	C
O	A	R	L	E	Á	O	F	A	Q	Q	I	O	E	I
Í	L	A	T	P	S	A	Z	N	U	É	A	L	M	B
S	V	A	M	A	T	Y	A	E	Í	Í	L	U	S	M
T	A	I	E	H	Q	R	T	V	R	D	F	B	E	A
A	S	X	U	L	T	A	E	T	N	E	V	L	O	S
E	T	N	E	D	U	R	P	Ú	A	S	P	E	Ó	P

Ambicioso / *AMBICIOSA* (Ambitious)

AFABLE (Amiable)

Engreído / *ENGREÍDA* (Big-headed)

VALIENTE (Brave)

DESCUIDADO / descuidada (Careless)

PRUDENTE (Cautious)

ALEGRE (Cheerful)

ESMERADO / esmerada (Conscientious)

SOSO / *SOSA* (Dull)

Coqueto / *COQUETA* (Flirtatious)

SIMPÁTICO / simpática (Friendly)

Generoso / *GENEROSA* (Generous)

TRABAJADOR / trabajadora (Hard-working)

Honrado / *HONRADA* (Honest)

AMABLE (Kind)

TRANQUILO / tranquila (Laid-back)

Perezoso / *PEREZOSA* (Lazy)

LEAL (Loyal)

VOLUBLE (Moody)

EDUCADO / educada (Polite)

FIABLE (Reliable)

EGOÍSTA (Selfish)

Tímido / *TÍMIDA* (Shy)

TESTARUDO / testaruda (Stubborn)

Hablador / *HABLADORA* (Talkative)

SOLVENTE (Trustworthy)

101

La apariencia física – la cara: Physical Appearance – Face

A	Á	Ñ	H	O	Y	U	E	L	O	Ñ	D	F	Z	A
W	C	Z	Ú	A	A	F	E	I	T	A	D	A	I	M
F	L	R	R	F	E	E	T	S	I	R	T	R	S	S
A	I	A	A	R	N	A	R	Ñ	A	E	E	A	A	T
S	C	N	R	M	T	T	R	G	A	S	V	D	C	U
S	A	D	A	V	R	U	C	R	C	P	E	A	E	B
A	S	Z	I	L	E	F	Q	A	B	I	R	P	P	W
L	E	A	F	S	C	U	R	N	N	N	D	A	S	D
L	L	D	Ñ	Ü	E	Z	O	O	A	G	E	P	Á	E
I	U	A	Y	A	J	N	L	S	R	O	S	Z	G	L
J	Z	L	D	Ó	O	J	O	S	I	N	O	U	R	G
E	A	A	S	A	J	E	C	R	Z	A	Ú	N	A	A
M	S	V	A	D	N	O	D	E	R	Z	U	U	N	D
A	U	O	R	J	P	U	N	T	I	A	G	U	D	A
R	E	G	O	R	D	E	T	A	Q	O	M	I	E	S

La *NARIZ* (Nose)

GRANDE (Big)

PUNTIAGUDA (Pointed)

CURVADA (Hooked)

RESPINGONA (Snub)

La *MARCA* de nacimiento (Birthmark)

El *HOYUELO* (Dimple)

La *PAPADA* (Double chin)

El *ENTRECEJO* (Frown)

La *CARA* (Face)

FELIZ (Happy)

REDONDA (Round)

TRISTE (Sad)

SERIA (Serious)

OVALADA (Oval)

FINA (Thin)

Las *CEJAS* (Eyebrows)

ARQUEADAS (Arched)

ESPESAS (Bushy)

DELGADAS (Thin)

REGORDETA (Chubby-cheeked)

Bien *AFEITADA* (Clean-shaven)

Las *MEJILLAS* sonrosadas (Rosy cheeks)

Los *OJOS* (Eyes)

MARRONES (Brown)

AZULES (Blue)

De *COLOR* avellana (Hazel)

VERDES (Green)

Los *GRANOS* (Spots)

Las *PECAS* (Freckles)

102

La apariencia física – el cuerpo: Physical Appearance – Body

Ñ	Á	S	A	D	C	O	R	P	U	L	E	N	T	A
A	E	B	É	T	F	H	E	D	N	A	R	G	N	C
O	J	B	N	O	L	I	E	Y	Ú	M	L	I	Ó	U
E	I	A	P	O	A	A	L	T	O	R	B	A	I	E
L	S	A	B	I	C	É	I	G	O	O	E	D	X	R
N	U	T	Ü	B	A	J	O	S	N	N	L	A	E	P
G	A	V	A	O	Ó	R	O	I	L	G	L	G	L	O
T	N	P	J	T	D	L	T	C	O	T	O	L	P	T
G	A	E	X	A	U	A	N	R	L	R	C	E	M	I
X	I	Ó	L	C	E	R	D	Ú	D	A	A	D	O	N
V	D	L	S	G	O	O	A	E	X	A	R	A	C	O
Q	E	U	F	U	E	R	T	E	N	E	V	O	J	B
B	M	K	Ó	E	W	A	A	T	L	É	T	I	C	O
A	V	I	T	C	A	R	T	A	Ñ	E	U	Q	E	P
E	S	B	E	L	T	O	A	R	U	G	I	F	A	I

Delgado / *DELGADA* (Thin)

ESBELTO / esbelta (Slim)

GORDO / *GORDA* (Fat)

Regordete / *REGORDETA* (Chubby)

FUERTE (Strong)

DÉBIL (Weak)

BAJO / *BAJA* (Short)

ALTO / *ALTA* (Tall)

NORMAL (Average)

MUSCULOSO / musculosa (Muscular)

De complexión *MEDIANA* (Medium build)

De mediana *ESTATURA* (Medium height)

Corpulento / *CORPULENTA* (Large)

ATLÉTICO / atlética (Athletic)

GRANDE (Big)

Pequeño / *PEQUEÑA* (Small)

FEO / *FEA* (Ugly)

BELLO / *BELLA* (Beautiful)

BONITO / *BONITA* (Pretty)

GUAPO / guapa (Good-looking)

Flaco / *FLACA* (Skinny)

JOVEN (Young)

VIEJO / vieja (Old)

Atractivo / *ATRACTIVA* (Attractive)

El *CUERPO* (Body)

La *CARA* (Face)

La *COMPLEXIÓN* (Frame)

La *FIGURA* (Figure)

CLARO / clara (Fair)

103

La apariencia física – el pelo: Physical Appearance – Hair

J	O	J	O	R	R	I	L	E	P	E	L	U	C	A
O	O	B	T	U	C	O	R	T	O	H	Z	Ú	K	I
P	S	R	B	Y	E	N	C	R	E	S	P	A	D	O
A	E	I	U	T	E	Ñ	I	D	O	L	Y	V	R	J
T	O	L	L	C	G	U	O	E	A	P	U	N	T	A
E	S	L	O	D	S	H	U	D	Ñ	P	A	L	T	O
L	R	A	A	Ó	A	O	I	O	A	E	S	C	W	C
O	A	N	M	R	E	B	Y	T	W	L	Ñ	A	O	E
C	T	T	E	A	G	F	I	N	O	Q	U	Ñ	C	S
A	I	E	C	N	R	O	U	E	L	X	A	D	O	A
L	L	I	H	E	B	I	R	I	R	T	J	Ñ	N	N
V	I	C	A	L	V	A	Z	S	S	T	O	L	P	O
O	M	A	S	E	R	Z	E	A	Z	M	A	Á	B	G
A	I	D	E	M	Z	É	C	R	D	V	Í	S	M	Á
N	K	B	L	A	N	C	O	G	C	O	R	T	A	R

La *MELENA* corta (Bob)

El *MOÑO* (Bun)

El corte *MILITAR* (Crew cut)

La *COLETA* (Ponytail)

La *PELUCA* (Wig)

CALVO / CALVA (Bald)

RIZADO (Curly)

La *CASPA* (Dandruff)

SECO (Dry)

OPACO (Dull)

TEÑIDO (Dyed)

FINO (Fine)

ENCRESPADO (Frizzy)

GRASIENTO (Greasy)

El *PELO* (Hair)

Las *MECHAS* (Highlights)

LARGO (Long)

RUBIO (Blond)

OSCURO (Dark)

CASTAÑO (Brunette)

PELIRROJO (Red)

BLANCO (White)

BRILLANTE (Shiny)

CORTO (Short)

La *MEDIA* melena (Shoulder-length)

El pelo de *PUNTA* (Spiky)

Las puntas *ABIERTAS* (Split ends)

LISO (Straight)

ONDULADO (Wavy)

CORTAR (To cut)

104

Artistas españoles: Spanish Artists

U	H	O	É	E	T	V	E	L	Á	Z	Q	U	E	Z
A	L	E	R	D	A	T	G	Z	U	L	O	A	G	A
D	S	E	Q	A	O	T	R	O	Y	O	G	Ó	R	V
I	O	R	S	L	V	M	K	T	F	N	O	L	Y	B
L	Ü	I	B	Ó	O	B	Í	O	J	E	N	E	F	L
L	F	B	Y	E	A	Ñ	R	N	A	S	Z	C	P	A
I	T	E	A	R	R	T	I	G	G	P	Á	R	A	N
H	T	R	R	L	U	R	O	S	I	U	L	A	L	C
C	N	A	E	N	L	Y	U	C	U	Í	E	B	E	H
C	U	Q	Y	B	A	O	A	G	D	R	Z	Z	N	A
Í	L	A	D	M	S	S	R	U	U	S	H	C	C	R
V	A	L	D	É	S	I	A	O	A	E	A	L	I	D
Ó	R	I	M	O	S	G	G	Ó	S	É	T	S	A	Z
R	Á	S	A	S	A	C	M	A	S	R	I	E	R	A
T	O	S	A	R	G	A	R	G	A	L	L	O	Ó	Í

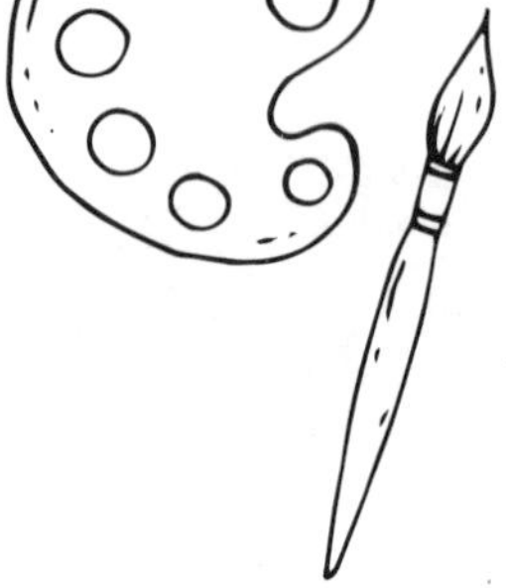

Joaquín *AGRASOT*

Miquel *BARCELÓ*

Laureano *BARRAU*

Alonso *BERRUGUETE*

María *BLANCHARD*

Ramón *CASAS*

Eduardo *CHILLIDA*

Salvador *DALÍ*

Óscar *DOMÍNGUEZ*

Mariano *FORTUNY*

Pablo *GARGALLO*

Antoni *GAUDÍ*

Antonio *GISBERT*

Julio *GONZÁLEZ*

Francisco de *GOYA*

Juan *GRIS*

Josep *MASRIERA*

Joan *MIRÓ*

Benjamín *PALENCIA*

Pablo *PICASSO*

José de *RIBERA*

Luis *ROYO*

Santiago *RUSIÑOL*

Joaquín *SOROLLA*

Manolo *VALDÉS*

Remedios *VARO*

Diego *VELÁZQUEZ*

Ignacio *ZULOAGA*

SOLUTIONS

1

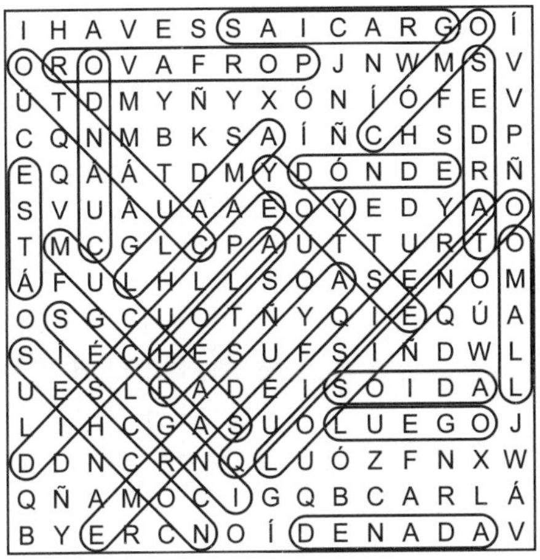

2

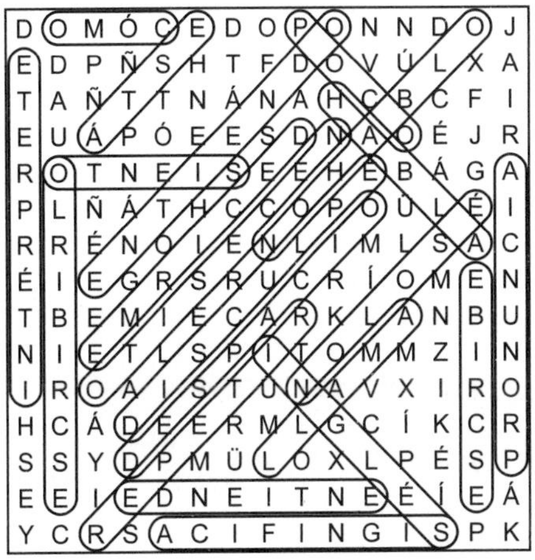

3

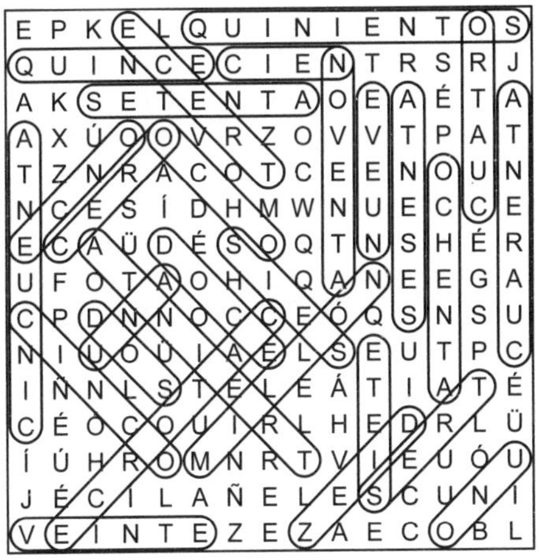

4

5

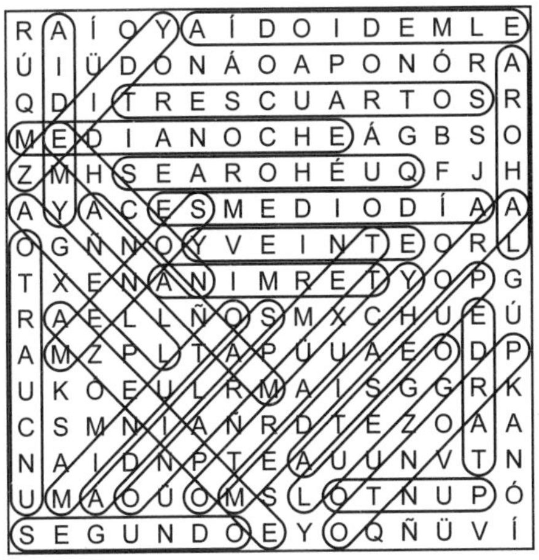

6

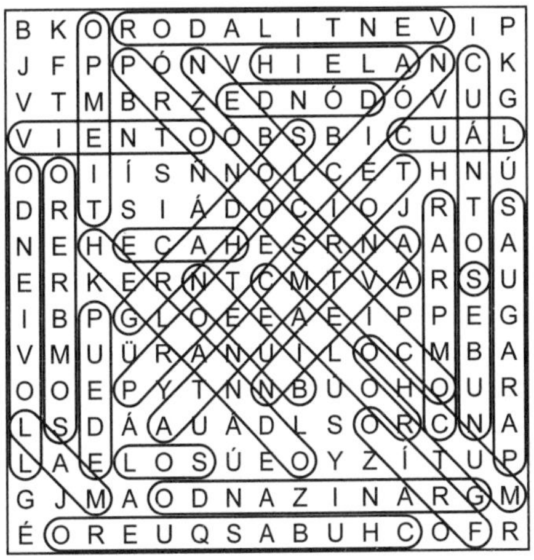

SOLUTIONS

7

C	H	N	E	C	E	S	I	T	A	R	K	V	R	D
O	C	A	D	Í	R	Ó	E	Á	J	É	U	A	Í	Ó
N	K	O	B	E	U	U	Ó	C	M	D	T	S	E	M
V	R	H	M	L	N	R	E	L	B	N	A	E	A	A
E	E	O	W	P	A	T	I	R	U	T	E	N	E	R
R	C	P	R	Ñ	R	R	E	G	É	G	K	T	R	C
T	A	W	A	I	I	A	E	N	P	B	P	I	A	H
I	H	F	S	T	C	R	R	T	D	V	A	R	Z	A
R	I	X	S	U	P	E	N	V	Ñ	E	L	S	I	R
S	G	I	E	Ú	D	Y	D	W	M	Ñ	R	Í	L	S
E	X	E	R	O	L	É	Á	P	Á	I	O	L	A	E
E	R	A	R	E	P	S	E	Z	Ú	R	D	P	E	Á
J	A	M	E	Á	Í	Z	R	A	J	A	B	A	R	T
M	I	R	L	L	A	M	A	R	R	B	E	B	E	R
R	C	O	R	R	E	R	B	R	A	M	O	T	C	Q

8

A	O	T	E	A	I	C	N	E	L	A	V	Z	Á	B
V	Ñ	Y	S	A	L	A	M	A	N	C	A	W	T	Ó
L	O	M	C	N	Z	I	D	Á	C	R	Ñ	R	L	Ó
E	R	Á	T	O	R	R	E	L	A	V	E	G	A	U
U	G	L	O	R	S	F	U	G	S	R	G	M	S	W
H	O	A	L	I	Á	G	O	O	B	P	A	É	P	A
N	L	G	E	G	O	Z	G	P	A	D	T	S	A	L
Á	Ó	A	D	E	A	R	T	M	R	E	R	E	L	M
I	O	E	O	L	U	W	P	I	C	B	A	V	M	E
C	U	I	L	B	L	L	D	Á	E	V	C	I	A	R
N	O	R	Ú	Í	O	E	B	N	L	I	G	L	S	Í
E	M	S	Ü	N	F	L	I	C	O	G	C	L	F	A
L	G	R	A	N	A	D	A	D	N	O	H	A	Q	O
A	L	L	E	B	R	A	M	B	A	D	A	J	O	Z
P	I	O	A	B	L	I	B	A	S	E	R	N	A	M

9

Y	O	C	E	R	R	A	D	A	S	N	A	C	G	Ñ
J	T	Ñ	S	R	E	P	U	G	N	A	N	T	E	A
R	L	G	E	B	C	A	R	O	J	Ó	F	Ú	L	R
A	A	U	N	E	A	S	Y	A	A	T	N	E	L	A
T	U	A	C	T	R	R	B	D	J	N	O	F	X	C
R	A	P	I	N	Á	I	A	O	Ñ	E	U	Q	E	P
E	V	O	L	E	P	C	B	T	S	L	B	A	J	O
I	E	B	L	I	I	O	T	T	A	O	J	E	I	V
B	U	R	O	L	D	A	U	R	C	V	S	E	A	K
A	N	E	P	A	A	P	Ñ	A	I	T	A	B	B	Z
I	E	M	Á	C	I	R	N	E	U	S	A	N	I	A
Y	O	F	A	D	W	S	J	P	U	R	T	L	E	P
C	I	Í	O	A	A	Á	I	B	A	Q	E	E	R	A
G	R	A	N	D	E	D	B	T	A	F	É	U	T	U
F	R	Í	O	T	A	T	O	V	E	U	N	P	O	G

10

I	O	D	E	S	D	E	N	F	R	E	N	T	E	Ü
P	J	E	N	L	A	E	S	Q	U	I	N	A	D	E
E	A	P	A	L	L	A	D	O	D	E	N	T	R	O
D	B	A	O	B	E	D	S	É	V	A	R	T	A	X
R	A	U	L	R	É	I	C	D	T	A	S	A	L	Y
O	D	E	Z	L	D	A	H	Y	Ó	N	Á	C	F	W
D	E	X	M	U	A	E	B	W	U	T	R	O	I	A
E	L	C	W	N	D	S	L	A	V	E	T	N	N	M
D	A	E	R	T	N	É	A	A	O	S	E	T	A	I
E	N	P	V	L	J	G	S	M	N	D	D	R	L	C
R	T	T	H	O	O	C	C	P	E	T	I	A	D	N
L	E	O	S	Í	J	K	E	B	Ú	A	E	B	E	E
A	D	A	V	Í	H	Ñ	A	R	M	É	C	F	E	P
N	E	O	Í	A	É	J	H	B	C	J	S	I	R	D
F	P	O	R	T	O	D	A	S	P	A	R	T	E	S

11

O	S	E	M	A	N	A	L	M	E	N	T	E	X	O
K	I	Ñ	U	É	M	Í	C	Ü	O	O	N	Ü	R	O
E	A	R	O	Á	Ú	U	Í	L	L	A	A	E	T	K
T	Ñ	R	E	T	Ó	Q	Y	Á	M	D	J	N	M	O
N	S	Ú	O	S	É	A	B	Á	O	N	O	F	V	D
E	O	I	O	H	N	U	N	C	A	R	F	E	D	A
M	N	A	E	A	Á	E	Q	R	P	M	Ó	L	E	D
A	E	T	E	M	Ü	H	T	R	N	K	W	I	D	I
D	M	H	O	Y	P	X	S	Q	O	J	S	Z	N	U
I	J	Í	A	N	E	R	M	Í	U	P	L	M	O	C
P	A	Y	Ú	L	C	A	É	O	R	T	N	E	D	N
Á	E	U	E	A	Ñ	E	P	Ü	R	M	P	N	K	O
R	D	N	L	A	U	V	S	Á	M	A	J	T	Ú	C
R	E	I	N	O	D	N	A	U	C	N	Ú	E	L	Á
P	H	A	S	E	T	N	E	M	A	I	R	A	I	D

12

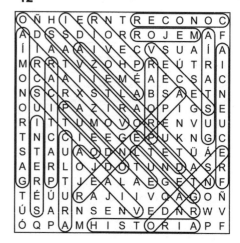

O	Ñ	H	I	E	R	N	T	R	E	C	O	N	O	C
A	D	S	S	D	I	O	R	R	O	J	E	M	A	F
Í	I	A	A	A	I	V	E	C	V	S	U	A	Í	A
M	R	R	T	V	Z	O	H	P	R	E	Ú	T	R	I
O	C	A	A	I	I	E	M	É	A	E	C	S	A	C
N	S	C	R	X	S	T	L	A	B	S	A	E	T	N
O	U	I	P	A	Z	I	R	A	O	P	I	G	S	E
R	I	T	T	U	M	O	V	O	R	E	N	V	U	U
T	N	C	C	I	E	E	G	E	P	U	K	N	G	C
S	T	A	U	A	O	D	N	L	T	E	T	Ü	Á	E
A	E	R	L	O	J	D	O	T	U	N	D	A	S	R
G	R	P	T	J	E	A	L	A	E	G	E	T	N	F
T	É	Ú	U	R	A	J	I	I	V	O	A	G	O	Ñ
Ú	S	A	R	N	S	E	N	V	E	D	N	R	W	V
Ó	Q	P	A	M	H	I	S	T	O	R	I	A	P	F

SOLUTIONS

13

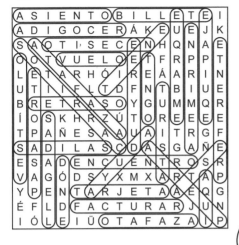

A	S	I	E	N	T	O	B	I	L	L	E	T	E	I
A	D	I	G	O	C	E	R	Á	K	E	U	E	J	K
S	A	O	T	I	S	E	C	E	N	H	Q	N	A	E
O	O	T	V	U	E	L	O	E	T	F	R	P	P	T
L	E	T	A	R	H	Ó	I	R	E	Á	A	R	I	N
U	T	I	I	F	L	T	D	F	N	T	B	I	U	E
B	R	E	T	R	A	S	O	Y	G	U	M	M	Q	R
Í	O	S	K	H	R	Z	Ú	T	O	R	E	E	E	E
T	P	A	Ñ	E	S	A	A	U	A	I	T	R	G	F
S	A	D	I	L	A	S	C	D	A	S	G	A	Ñ	E
E	S	A	D	E	N	C	U	E	N	T	R	O	S	R
V	A	G	Ó	D	S	Y	X	M	X	A	R	T	A	P
Y	P	E	N	T	A	R	J	E	T	A	Á	E	Q	G
É	F	L	D	F	A	C	T	U	R	A	R	J	U	N
I	Ó	L	E	I	Ü	O	T	A	F	A	Z	A	I	P

14

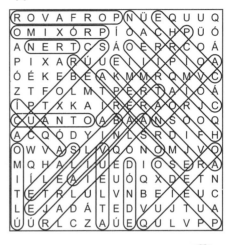

R	O	V	A	F	R	O	P	N	Ü	E	Q	U	U	Q
O	M	I	X	Ó	R	P	Í	O	A	C	H	P	Ü	Ó
A	N	E	R	T	C	S	Á	O	E	R	R	C	O	Á
P	I	X	A	R	Ú	U	E	I	I	I	P	Í	O	A
Ó	É	K	E	B	É	A	K	M	M	R	Q	M	V	C
Z	T	F	O	L	M	T	P	E	R	T	A	I	O	Á
Í	P	T	X	K	A	I	R	E	R	A	O	R	J	C
C	U	A	N	T	O	A	B	A	A	N	S	O	O	Q
A	C	Q	Ó	D	Y	I	N	L	S	R	D	I	F	H
O	W	V	A	S	L	V	Q	O	N	O	M	J	V	O
M	Q	H	A	L	I	U	E	D	I	O	S	E	R	A
I	Í	L	E	A	Í	E	U	Ó	Q	X	D	E	T	N
T	E	T	R	L	U	L	V	N	B	E	I	É	U	C
L	E	J	A	D	Á	T	E	D	V	U	J	T	U	A
Ú	Ú	R	L	C	Z	A	Ú	E	Q	Ú	L	V	P	P

15

Y	Ñ	V	F	M	E	R	L	Ó	T	Í	Z	O	C	A
A	F	A	E	D	Í	I	E	Y	U	R	D	U	O	J
Z	P	C	C	P	C	N	Í	Q	A	N	U	Q	N	S
F	O	A	H	Y	E	U	A	L	E	É	A	O	T	A
P	R	C	A	I	N	F	O	I	Á	G	H	D	R	Í
A	F	I	T	A	É	J	T	O	Í	O	U	A	O	D
S	A	O	I	D	O	N	W	T	B	C	G	E	L	E
A	V	N	A	U	E	É	Ó	S	I	I	Ó	N	O	D
P	O	E	O	A	T	A	M	T	C	O	Ü	A	G	E
O	R	S	J	N	E	Á	I	Í	Ü	S	V	L	L	C
R	O	Ó	E	A	L	N	Ó	M	O	I	É	P	A	L
T	P	G	B	Í	N	V	I	S	A	D	O	Q	R	A
E	A	N	V	H	A	W	Q	J	L	Ñ	E	R	Q	R
E	S	T	O	E	D	O	E	M	R	A	D	U	Y	A
H	Y	H	Y	P	A	R	T	I	D	A	Ó	F	Q	R

16

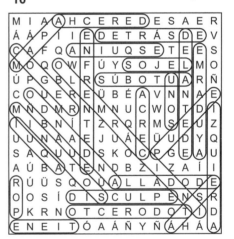

M	I	A	A	H	C	E	R	E	D	E	S	A	E	R
Á	Á	P	I	I	E	D	E	T	R	Á	S	D	E	V
C	A	F	Q	A	N	I	U	Q	S	E	T	E	E	S
M	O	Q	O	W	F	Ú	Y	S	O	J	E	L	M	O
Ú	P	G	B	L	R	S	Ú	B	O	T	U	A	R	Ñ
C	O	U	E	R	E	Ü	B	É	A	V	N	N	A	E
M	Ñ	D	M	R	N	M	N	U	C	W	O	T	D	I
Í	I	B	N	Í	T	Z	R	Q	R	M	S	E	U	Z
U	U	N	A	A	E	J	U	Á	E	Ü	U	D	Y	Q
S	A	Q	U	U	D	S	K	O	C	P	G	E	A	U
A	Ú	B	A	T	E	N	D	B	Z	I	Z	A	Í	I
R	Ú	Ü	S	Q	O	Ü	A	L	L	A	D	O	D	E
O	O	S	Í	D	I	S	C	U	L	P	E	N	S	R
P	K	R	N	O	T	C	E	R	O	D	O	T	I	D
E	N	E	I	T	Ó	A	Á	Ñ	Y	Ñ	Á	H	Á	A

17

S	I	L	L	I	T	A	O	N	G	I	C	Ó	A	Á
J	C	D	Ñ	B	Ü	Q	C	R	Q	U	I	E	R	O
N	A	A	Í	N	R	A	L	I	U	Q	L	A	A	W
Ó	S	U	C	A	R	N	É	O	Ñ	G	M	V	P	U
I	C	T	R	C	S	L	C	I	Ó	Y	E	E	Á	M
S	O	O	I	N	C	L	U	Y	E	D	D	S	I	O
I	P	M	C	A	N	D	A	D	O	Ó	Q	P	G	S
M	Z	Á	U	J	A	R	T	I	E	N	E	A	O	T
S	K	T	D	S	A	R	É	Í	Ó	D	A	Ñ	P	R
N	É	I	N	S	U	U	E	C	Í	E	I	S	B	A
A	A	C	O	N	D	I	C	I	O	N	A	D	O	D
R	D	O	C	U	Á	N	T	O	S	C	J	V	M	O
T	B	I	C	I	C	L	E	T	A	I	H	T	B	R
K	I	L	O	M	E	T	R	A	J	E	U	E	A	O
Q	Í	M	O	T	O	Í	R	E	L	I	U	Q	L	A

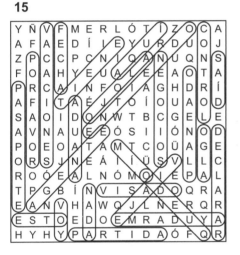

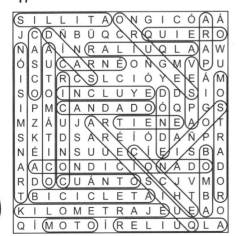

18

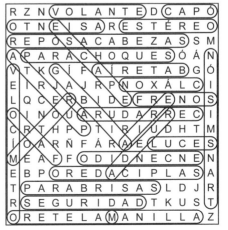

R	Z	N	V	O	L	A	N	T	E	D	C	A	P	Ó
O	T	N	E	I	S	A	R	E	S	T	É	R	E	O
R	E	P	O	S	A	C	A	B	E	Z	A	S	S	M
A	P	A	R	A	C	H	O	Q	U	E	S	Ó	Á	N
V	T	K	G	Í	F	A	Í	R	E	T	A	B	G	Ó
E	Í	R	J	A	J	R	P	N	O	X	Á	L	C	I
L	Q	C	E	R	B	I	D	E	F	R	E	N	O	S
O	I	N	O	U	A	R	U	D	A	R	R	E	C	I
C	R	T	H	P	P	T	I	R	I	U	D	H	T	M
Í	O	Á	R	Ñ	F	Á	R	A	E	L	U	C	E	S
M	É	A	F	F	O	D	I	D	N	E	C	N	E	N
E	B	P	O	R	E	D	A	C	I	P	L	A	S	A
T	P	A	R	A	B	R	I	S	A	S	L	D	J	R
R	S	E	G	U	R	I	D	A	D	T	K	U	S	T
O	R	E	T	E	L	A	M	A	N	I	L	L	A	Z

SOLUTIONS

19

20

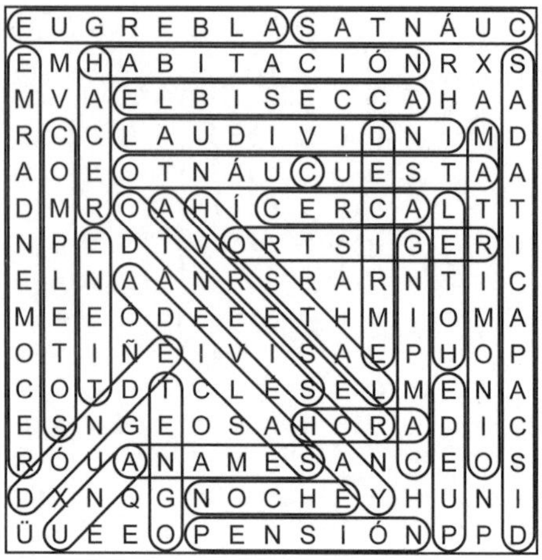

21

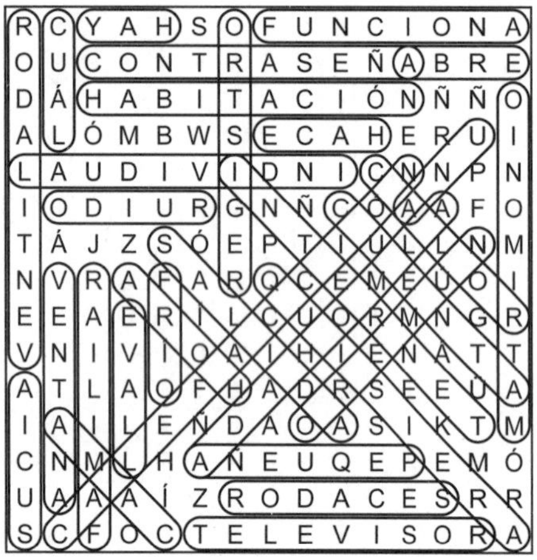

22

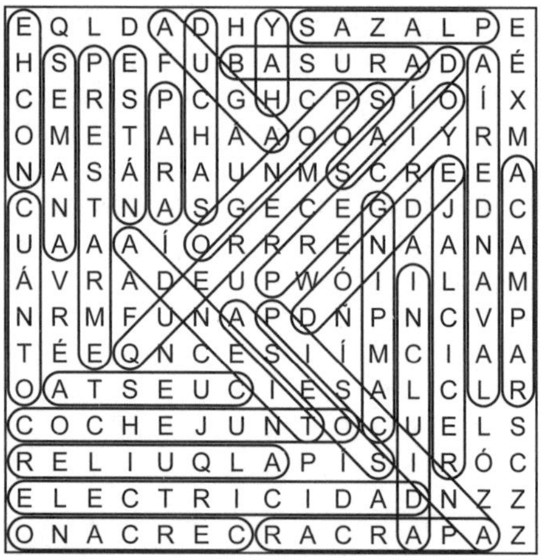

23

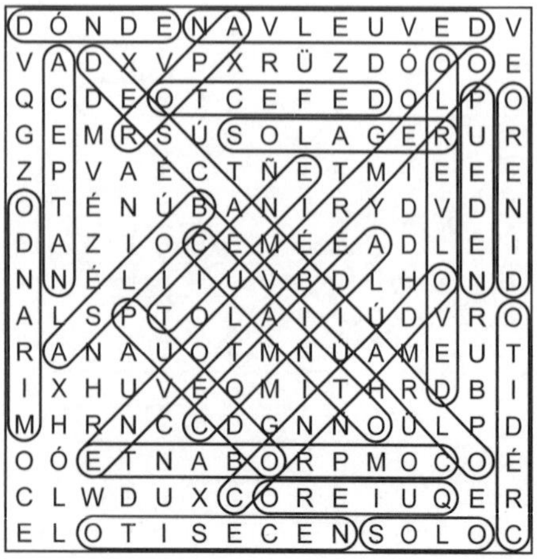

24

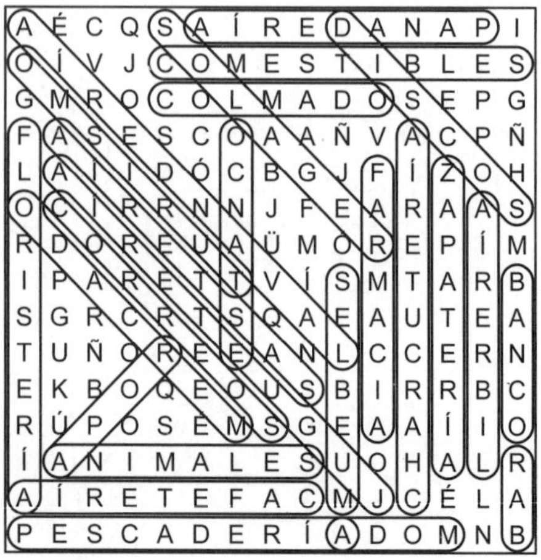

SOLUTIONS

25

B	R	O	D	A	L	L	I	N	R	O	T	S	E	D
Ü	B	I	Y	V	Y	N	A	J	E	Á	P	A	Ó	M
I	R	A	Ü	T	C	U	H	C	U	V	R	H	A	J
A	I	N	R	Ó	Q	M	D	W	O	A	É	L	R	U
O	C	E	Q	N	N	C	B	A	P	R	I	Ü	R	S
A	O	C	A	W	I	E	P	O	R	C	B	T	E	T
S	L	E	Q	N	N	Z	L	A	A	M	N	A	G	O
E	A	S	E	E	O	L	M	T	V	H	E	L	L	P
L	J	I	I	L	I	I	E	B	É	Á	Í	A	A	B
G	E	T	V	T	E	S	C	R	A	D	C	D	R	C
N	V	O	R	N	C	M	O	N	Ü	J	Ú	R	B	I
I	J	A	T	L	E	P	A	P	U	V	I	O	Q	N
N	M	A	R	R	E	I	S	Z	Z	F	Ñ	L	A	C
E	S	O	V	A	L	C	B	R	O	C	H	A	B	E
Y	Í	W	T	O	R	N	I	L	L	O	S	E	D	L

26

T	C	A	P	R	I	C	H	O	F	R	O	K	K	U
O	L	M	A	L	L	O	R	O	S	R	A	É	Á	D
N	A	B	A	R	R	I	O	Á	T	R	W	L	I	A
A	T	V	Ü	Y	T	F	Y	S	Q	E	A	R	C	J
I	S	Í	Ñ	E	O	D	A	U	L	C	D	I	Í	A
D	I	K	R	P	O	R	E	E	L	A	K	U	Z	B
L	R	K	R	B	L	O	U	Á	M	É	R	I	C	A
A	C	A	E	E	L	G	C	I	B	E	L	E	S	V
G	D	D	K	Ó	I	B	E	R	N	A	B	É	U	A
O	H	Ñ	G	M	É	R	O	D	E	N	I	C	N	C
Ñ	D	I	N	M	X	M	T	S	T	A	Í	F	O	S
C	C	A	T	R	E	U	P	P	S	D	G	T	Z	H
O	S	N	A	G	R	A	N	V	Í	A	U	G	O	Y
Á	Ü	A	T	W	Ñ	A	L	M	U	D	E	N	A	B
M	O	N	T	A	Ñ	A	M	A	T	A	D	E	R	O

27

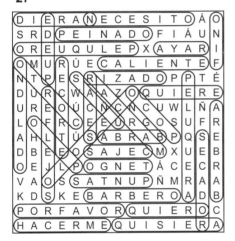

D	I	E	R	A	N	E	C	E	S	I	T	O	Á	O
S	R	D	P	E	I	N	A	D	O	F	I	Á	U	N
O	R	E	U	Q	U	L	E	P	X	A	Y	A	R	I
O	M	U	R	Ú	E	C	A	L	I	E	N	T	E	F
N	T	P	E	S	R	I	Z	A	D	O	P	P	T	É
D	U	R	C	W	A	A	Z	O	Q	U	I	E	R	E
U	R	E	O	Ú	C	Ñ	C	Ñ	C	U	W	L	Ñ	A
L	O	F	R	C	E	E	U	R	G	O	S	U	F	R
A	H	L	T	Ú	S	A	B	R	A	B	P	Q	S	E
D	B	E	E	O	S	A	J	E	C	M	X	U	E	B
O	E	J	L	P	O	G	N	E	T	Á	C	E	C	R
V	A	O	S	S	A	T	N	U	P	Ñ	M	R	A	A
K	D	S	K	E	B	A	R	B	E	R	O	A	D	B
P	O	R	F	A	V	O	R	Q	U	I	E	R	O	C
H	A	C	E	R	M	E	Q	U	I	S	I	E	R	A

28

C	H	A	Q	U	E	T	A	C	O	N	E	S	A	A
S	A	V	I	T	R	O	P	E	D	K	J	D	J	E
S	G	C	A	M	I	S	E	T	A	J	L	E	L	B
O	U	C	A	P	U	C	H	A	S	A	R	B	O	U
T	A	U	Ñ	B	C	L	O	E	F	S	A	T	O	F
A	N	Í	Ó	H	R	R	N	S	E	E	A	S	T	A
P	T	Q	A	B	E	I	A	Y	M	S	O	Q	N	N
A	E	L	O	R	T	N	G	R	A	N	H	A	U	D
Z	S	L	B	E	D	O	E	O	A	S	R	O	P	A
Í	S	M	C	A	D	P	Q	J	U	E	Í	P	E	L
O	O	L	L	I	M	U	E	O	T	F	J	M	Ú	N
S	A	I	T	I	P	T	V	R	I	Ü	S	A	A	G
C	A	S	U	J	E	T	A	D	O	R	C	E	R	C
S	E	R	E	T	Ü	C	S	V	E	S	T	I	R	T
V	N	Ó	R	U	T	N	I	C	S	O	T	R	O	C

29

S	A	Í	R	E	J	A	S	N	E	M	U	S	Ü	T
I	E	E	L	E	C	T	R	Ó	N	I	C	O	J	Á
R	K	L	A	Á	N	G	O	T	I	S	E	C	E	N
A	E	B	L	O	N	O	F	É	L	E	T	I	P	F
L	B	E	H	O	L	A	H	N	Ó	I	V	A	D	C
B	N	W	Ó	I	S	T	I	P	S	E	Q	L	Í	O
A	Ó	O	S	S	Á	E	O	P	T	U	U	E	G	N
H	Z	I	Í	Ü	G	N	O	O	E	R	A	S	A	E
O	U	T	P	J	E	R	S	T	É	F	A	R	M	X
R	B	I	O	R	T	E	E	N	I	R	A	M	E	I
E	E	S	S	A	R	T	Ñ	S	O	B	R	E	S	Ó
M	Á	E	T	V	E	N	V	I	A	R	L	O	Ó	N
Ú	H	I	A	O	G	I	M	N	O	C	Í	P	C	M
N	L	A	L	D	I	R	E	C	C	I	Ó	N	Z	V
V	J	C	Y	A	R	E	I	S	I	U	Q	Q	Í	Z

30

O	I	B	M	A	C	D	T	O	M	A	L	L	M	O
U	L	A	R	W	Ó	T	R	A	V	R	U	Y	V	D
C	Z	Ü	L	N	S	E	D	N	A	R	G	I	C	A
A	Ñ	O	D	E	U	P	O	I	Z	Y	T	U	Á	D
M	T	E	A	O	Ü	T	C	C	B	C	A	M	T	I
B	O	R	C	B	I	F	U	I	E	N	E	A	E	V
I	H	N	A	S	R	Ú	M	F	D	D	Z	Ü	J	L
A	A	O	E	G	O	E	E	O	Q	U	I	E	R	O
B	E	C	N	D	A	G	N	D	O	R	E	J	A	C
R	E	U	N	A	A	D	T	B	I	L	L	E	T	E
N	O	D	P	C	C	S	O	E	M	R	I	F	N	N
M	A	I	C	N	E	R	E	F	S	N	A	R	T	D
C	U	E	N	T	A	M	E	L	B	O	R	P	Ó	Z
T	E	R	I	R	A	U	T	C	E	F	E	L	É	R
Ñ	O	R	E	N	I	D	E	N	T	I	D	A	D	P

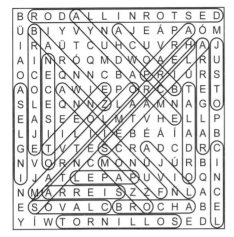

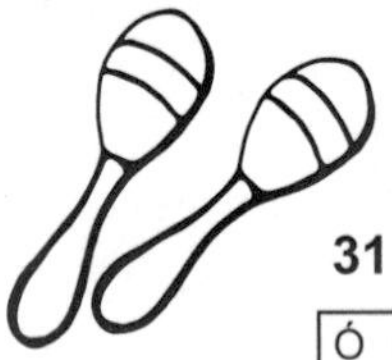

SOLUTIONS

31

Ó	N	E	E	Ü	O	D	N	E	I	C	A	H	D	Ñ
T	I	E	M	P	O	R	T	V	A	M	O	S	R	S
K	A	O	O	Ú	A	T	E	J	R	A	T	E	N	N
É	I	S	S	E	S	G	N	U	N	Ú	M	E	R	O
G	C	I	O	R	R	S	G	D	N	O	F	L	O	N
O	N	T	C	Q	U	T	O	I	C	I	G	I	E	X
I	E	I	I	P	M	C	V	R	O	E	Ó	I	H	S
R	R	O	N	R	Z	I	Y	E	L	O	B	N	Y	M
A	E	W	Ó	U	S	S	K	C	O	E	S	T	O	Y
N	F	E	R	I	A	H	Á	C	S	X	N	V	V	F
I	N	B	T	I	E	N	E	I	S	T	A	T	N	X
M	O	A	C	C	M	Í	Í	Ó	B	O	Í	V	A	I
E	C	A	E	B	Ñ	P	H	N	A	O	L	U	B	D
S	R	K	L	T	E	L	É	F	O	N	O	A	Q	O
G	I	T	E	Z	S	A	G	E	L	O	C	I	T	A

32

W	L	S	A	S	O	P	I	R	A	M	A	L	F	U
É	O	E	S	O	I	V	R	E	N	Ú	D	Á	Y	Ü
K	S	A	U	G	N	E	L	C	S	S	E	Ó	E	T
C	F	U	R	Q	F	B	E	R	E	I	N	A	S	M
A	Q	U	Í	M	A	D	O	R	P	Y	T	G	P	O
R	E	Q	A	F	I	T	P	R	B	B	R	A	I	T
E	J	D	M	A	U	I	A	U	D	E	O	N	N	O
Y	R	Ñ	R	U	E	I	O	A	E	E	N	É	A	C
E	J	I	K	N	R	L	B	X	S	B	A	I	Z	I
S	O	K	T	O	B	R	I	E	W	P	L	C	O	C
S	M	E	T	A	A	S	N	N	E	S	C	O	E	L
C	R	S	Í	Z	T	Ú	O	F	O	E	L	Q	R	E
M	I	D	O	E	L	Ü	E	J	P	C	E	H	B	T
H	L	A	B	E	R	I	N	T	O	K	H	V	O	A
O	E	L	B	O	L	A	M	U	J	E	R	E	S	W

33

L	C	Ú	Z	H	C	A	M	A	R	E	R	O	A	L
B	O	R	E	C	S	I	C	F	E	T	E	O	G	X
I	N	O	U	S	O	I	V	D	E	N	E	U	R	O
B	S	T	J	M	S	N	I	E	F	H	T	B	I	B
L	T	N	P	U	A	T	T	E	N	A	C	C	C	A
I	R	I	M	I	O	E	R	A	I	D	I	M	U	N
O	U	P	B	R	L	M	S	R	B	V	E	É	L	Q
T	C	T	A	W	E	O	A	T	R	L	C	D	T	U
E	T	G	Y	R	L	N	T	E	R	A	E	I	O	E
C	O	I	A	D	O	T	S	O	M	A	M	C	R	R
A	R	Á	A	I	A	V	D	A	B	O	G	A	D	A
R	M	D	C	E	S	C	R	I	T	O	R	J	O	U
I	O	N	A	T	N	E	I	D	N	E	P	E	D	Ó
A	U	C	I	A	R	E	I	N	E	G	N	I	É	R
F	D	D	N	A	C	I	E	N	T	Í	F	I	C	O

34

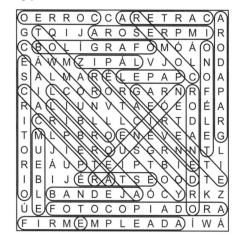

O	E	R	R	O	C	C	A	R	E	T	R	A	C	A
G	T	Q	I	J	A	R	O	S	E	R	P	M	I	R
C	B	O	L	Í	G	R	A	F	O	M	Ó	Á	O	O
E	Á	W	M	Z	I	P	Á	L	V	J	O	L	N	D
S	Á	L	M	A	R	É	L	E	P	A	P	C	O	A
C	I	L	C	O	R	O	R	G	A	R	N	R	F	P
R	A	L	I	U	N	V	T	A	E	Ó	E	O	É	A
I	C	R	I	B	L	L	L	C	I	R	T	D	L	R
T	M	L	P	B	R	O	E	N	E	V	E	A	E	G
O	U	J	I	E	R	O	U	S	G	R	N	N	T	L
R	E	Á	U	P	T	E	Í	P	T	B	I	E	T	I
I	B	I	J	É	R	A	T	S	E	O	O	D	T	E
O	L	B	A	N	D	E	J	A	Ó	C	Y	R	K	Z
Ú	E	F	O	T	O	C	O	P	I	A	D	O	R	A
F	I	R	M	E	M	P	L	E	A	D	A	Í	W	Á

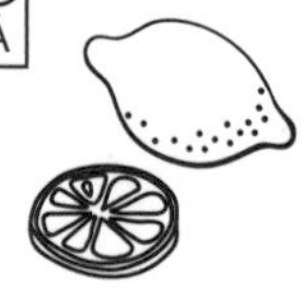

35

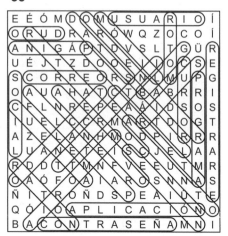

E	É	Ó	M	D	O	M	U	S	U	A	R	I	O	Í
O	R	U	D	R	A	R	Ó	W	Q	Z	O	C	O	Í
A	N	I	G	Á	P	T	D	V	S	L	T	G	Ü	R
U	É	J	T	Z	D	O	O	E	I	I	O	C	S	E
S	C	O	R	R	E	O	R	S	N	L	M	U	P	G
O	A	U	A	H	A	T	C	T	B	A	B	R	R	I
C	F	L	N	R	E	P	E	A	Á	I	D	S	O	S
I	U	E	L	C	C	R	M	A	R	T	D	O	G	T
A	Z	E	L	A	N	H	M	O	D	P	I	R	R	R
L	U	A	N	E	T	E	I	S	C	J	E	L	A	A
R	D	D	T	T	M	N	F	V	E	E	U	T	M	R
O	Á	Ó	F	O	A	I	A	R	O	S	N	N	A	S
Ñ	I	T	R	O	Ñ	D	S	P	E	A	I	Ü	T	E
Q	Ó	I	O	A	P	L	I	C	A	C	I	Ó	N	O
B	A	C	O	N	T	R	A	S	E	Ñ	A	M	N	I

36

T	S	V	A	A	C	I	R	A	T	S	O	C	A	E
Z	Y	R	L	Z	H	A	E	N	I	U	G	P	H	H
H	A	A	E	N	I	C	A	R	A	G	U	A	Ó	Y
M	R	T	U	Ú	L	A	L	A	M	E	T	A	U	G
S	R	L	Z	G	E	H	E	H	R	A	N	I	É	O
A	O	A	E	B	U	W	N	T	A	I	P	V	C	U
R	D	R	N	E	B	R	O	A	T	A	F	I	A	P
U	N	B	E	L	F	R	U	N	N	P	X	L	M	A
D	A	I	V	I	I	A	E	A	E	E	O	O	I	R
N	B	G	Í	C	E	G	M	R	M	C	U	B	A	A
O	H	G	O	E	R	A	U	E	A	Q	M	J	Í	G
H	M	A	N	A	C	I	N	I	M	O	D	A	M	U
Í	T	A	Í	R	O	D	A	V	L	A	S	L	E	A
Ó	S	O	D	I	N	U	S	O	D	A	T	S	E	Y
R	O	D	A	U	C	E	C	A	Ñ	A	P	S	E	V

SOLUTIONS

37

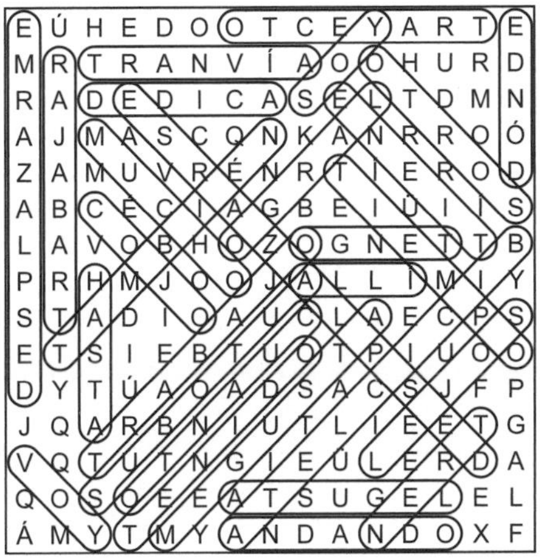

38

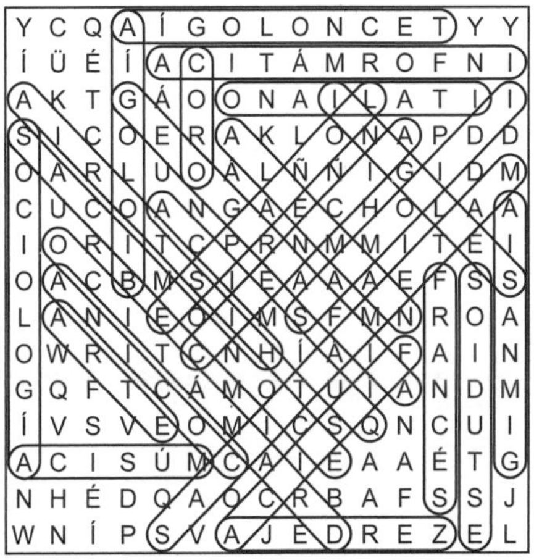

39

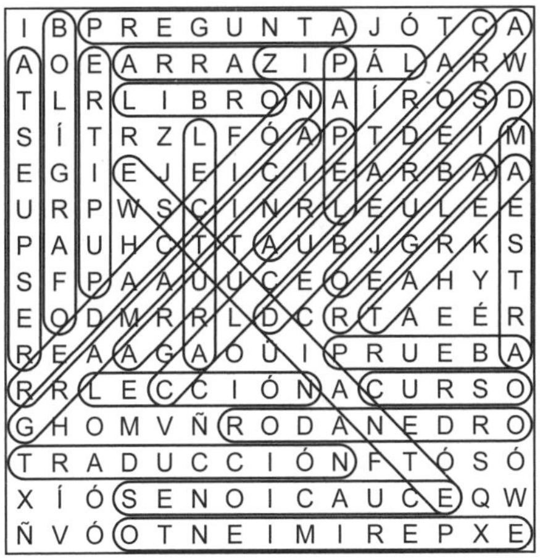

40

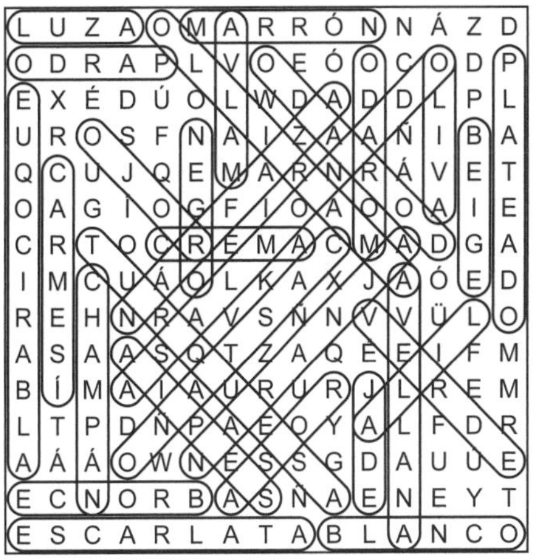

41

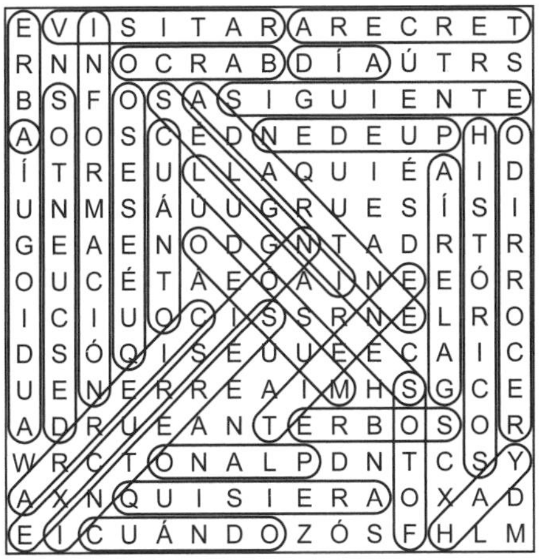

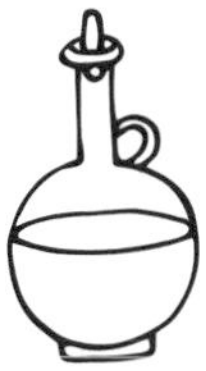

42

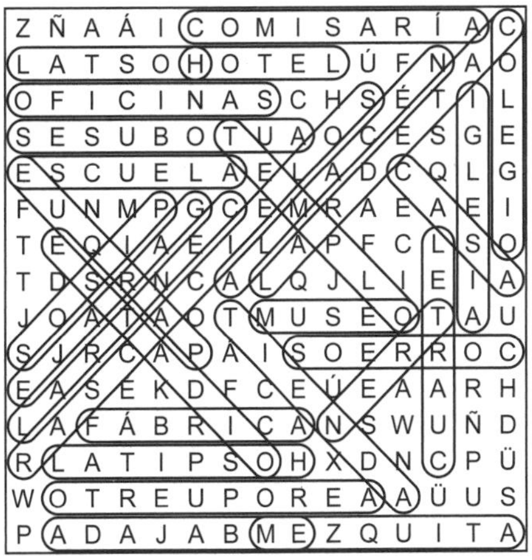

SOLUTIONS

43

M	L	O	T	N	E	I	M	A	T	N	U	Y	A	M
O	R	U	H	W	P	L	A	Y	A	B	M	Z	T	O
N	H	Í	E	S	T	A	D	I	O	U	Á	O	R	N
U	N	A	O	Í	T	T	E	M	P	L	O	O	A	T
M	S	A	T	A	R	A	T	A	C	C	Í	L	C	A
E	Z	R	E	S	E	R	V	A	A	J	D	O	C	Ñ
N	L	Ó	O	Ñ	O	Y	Y	T	A	E	R	G	I	A
T	O	N	I	S	A	C	E	D	A	U	E	I	O	S
O	M	V	I	Ñ	E	D	O	M	I	U	Í	C	N	G
J	T	U	K	W	R	F	T	N	Q	É	G	O	E	A
A	L	A	S	A	K	F	A	R	U	T	L	É	S	L
S	Q	A	L	E	X	S	A	R	Z	N	E	É	I	E
T	E	A	T	R	O	P	T	Z	O	E	S	Ñ	T	R
E	D	I	F	I	C	I	O	S	B	U	I	A	I	Í
O	L	L	I	T	S	A	C	A	S	P	A	E	O	A

44

S	L	Á	P	J	P	J	R	K	K	J	Ú	C	A	R
O	J	S	A	Í	S	C	A	H	E	N	A	R	E	S
C	Ñ	L	G	L	S	L	É	O	Ó	E	Y	J	I	E
Í	O	I	T	U	B	U	Q	B	O	W	S	I	I	M
N	F	A	M	E	A	L	E	D	R	A	E	L	J	R
Z	J	U	R	B	O	D	I	R	U	O	G	O	A	O
O	W	C	E	E	Z	E	I	N	G	E	U	C	R	T
D	H	S	N	Q	L	E	L	A	E	A	R	A	A	J
E	O	R	E	S	E	G	R	E	N	G	A	O	M	B
S	A	O	D	Á	V	I	A	É	E	A	A	I	A	D
I	M	T	R	I	V	I	U	Q	L	A	D	A	U	G
Á	H	N	A	F	R	A	N	C	O	L	Í	K	T	R
W	I	I	C	U	E	R	N	Ó	G	A	R	A	S	H
R	E	T	T	S	O	G	N	O	C	C	I	N	C	A
E	P	U	L	A	D	A	U	G	A	N	O	R	A	G

45

H	A	Y	R	E	N	A	C	E	N	T	I	S	T	A
M	A	Q	R	T	P	U	I	G	N	O	A	N	U	A
O	Í	B	S	E	Á	U	R	N	S	T	Ñ	L	R	G
D	R	C	L	N	C	Á	E	O	G	O	R	T	I	U
E	S	U	D	A	F	U	I	D	S	L	I	A	E	S
R	S	O	E	Í	R	C	É	É	É	S	É	X	D	T
N	M	I	C	D	E	M	C	R	T	N	P	S	M	A
O	U	A	L	R	A	C	E	A	D	O	U	Q	R	R
O	S	T	P	L	A	S	A	G	S	A	J	E	Z	Í
U	E	Í	G	I	A	U	D	I	O	G	U	Í	A	A
G	O	C	O	M	Ú	N	C	O	L	F	O	T	O	S
I	M	P	R	E	S	I	O	N	A	N	T	E	Y	Í
T	N	X	F	C	Ó	O	D	I	R	R	O	C	E	R
N	C	U	Á	N	T	O	G	U	S	T	A	N	V	N
A	I	M	P	R	E	S	I	O	N	I	S	M	O	U

46

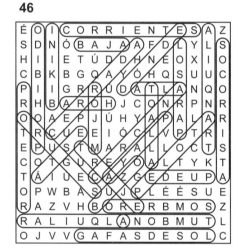

É	O	I	C	O	R	R	I	E	N	T	E	S	A	Z
S	D	N	Ó	B	A	J	A	A	F	D	L	Y	L	S
H	I	I	E	T	Ú	D	D	H	N	E	O	X	I	O
C	B	K	B	G	Q	A	Y	Ó	H	Q	S	U	U	C
P	I	I	G	R	R	Ú	D	Á	T	L	A	N	Q	O
R	H	B	A	R	Ó	H	J	C	O	N	R	P	N	R
O	O	A	E	P	J	Ú	H	Y	A	P	A	L	A	R
T	R	C	U	E	E	I	Ó	C	L	V	P	T	R	I
E	P	U	S	T	M	A	R	A	L	L	O	C	T	S
C	O	T	G	U	R	E	Y	O	A	L	T	Y	K	T
T	Á	I	U	E	C	Á	Z	G	E	D	E	U	P	A
O	P	W	B	Á	S	U	J	P	L	É	É	S	U	E
R	A	Z	V	H	B	O	R	E	R	B	M	O	S	Z
R	A	L	I	U	Q	L	A	N	O	B	M	U	T	L
O	J	V	V	G	A	F	A	S	D	E	S	O	L	C

47

Á	A	K	U	Ú	M	L	A	E	A	D	I	M	O	C
A	N	O	R	T	E	N	T	R	A	D	A	A	P	Á
Ñ	F	P	U	Á	N	I	Ñ	O	S	Ñ	P	P	R	O
P	O	L	V	O	M	F	A	M	I	L	I	A	S	E
T	K	N	H	R	T	O	A	L	L	I	T	A	S	S
I	Ó	A	E	H	O	H	C	E	P	O	R	I	H	A
E	Y	P	E	O	R	D	N	G	T	U	N	R	K	P
N	I	N	Ñ	A	T	E	A	N	V	D	E	Ñ	B	B
E	A	N	L	X	C	I	E	I	I	E	E	D	P	L
N	O	L	F	E	V	U	R	C	B	A	N	B	E	V
F	I	R	S	A	C	B	A	R	N	M	E	D	Ó	D
S	A	I	I	S	N	D	U	U	A	B	A	S	E	N
K	T	Ñ	E	N	O	T	C	Ñ	E	C	H	C	A	N
O	X	D	O	G	A	U	I	S	J	F	B	G	P	P
B	R	Á	D	S	R	L	U	L	G	T	D	G	Ñ	Í

48

S	O	N	A	M	A	S	A	P	O	G	E	I	C	E
X	A	T	W	P	E	R	S	O	N	A	S	A	O	L
A	D	E	É	Q	E	S	E	S	M	O	O	A	S	B
D	O	N	D	É	I	R	E	M	R	D	A	P	E	I
A	Q	G	I	N	O	N	R	D	R	E	S	M	C	S
R	U	O	S	Ú	O	E	A	O	L	A	U	A	C	E
T	I	Q	C	L	I	J	S	I	S	L	D	R	A	C
N	N	T	A	S	I	L	L	A	E	G	A	U	P	C
E	E	C	P	T	J	O	C	T	A	Y	U	F	Y	A
C	S	S	A	R	E	L	A	C	S	E	O	Í	D	A
E	J	O	C	G	K	S	A	G	E	I	C	T	A	M
S	G	P	I	P	E	R	M	I	T	I	D	O	S	M
I	R	O	D	A	D	N	A	B	A	S	T	Ó	N	E
T	É	H	A	B	I	T	A	C	I	Ó	N	X	U	N
O	V	A	D	A	T	I	C	A	P	A	C	S	I	D

SOLUTIONS

49

G	A	R	F	I	A	S	E	L	L	I	V	E	N	S
O	E	H	U	A	S	X	H	Í	E	O	Á	É	E	L
Y	R	Z	E	N	É	M	I	J	D	B	L	R	O	E
T	T	O	R	O	L	V	Í	A	E	L	V	P	A	S
I	S	N	T	S	S	F	H	N	I	A	E	I	I	E
S	A	U	E	A	A	C	A	U	L	D	P	T	S	G
O	S	M	S	C	A	V	G	L	E	O	I	R	A	Ó
L	B	A	A	M	E	K	E	V	P	Y	W	E	P	N
O	A	N	N	N	Y	I	E	E	H	I	I	B	G	G
H	R	U	T	Z	N	G	N	V	L	H	S	L	O	O
I	R	E	Ü	C	A	L	D	E	R	Ó	N	A	Ó	R
E	A	R	L	R	E	P	I	L	E	F	E	I	M	A
R	L	Á	C	I	M	O	R	A	T	Í	N	O	Q	Ó
R	N	Á	C	R	O	L	A	Í	C	R	A	G	U	Ñ
O	L	Ó	A	M	D	E	I	B	E	D	L	I	G	M

50

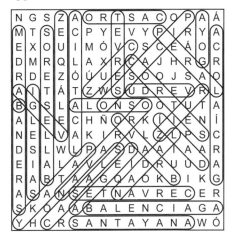

N	G	S	Z	A	O	R	T	S	A	C	O	P	A	Á
M	T	S	E	C	P	Y	E	V	Y	P	I	R	Y	A
E	X	O	U	I	M	Ó	V	C	S	C	É	Á	O	C
D	M	R	Q	L	A	X	R	C	A	J	H	R	G	R
R	D	E	Z	Ó	Ú	U	E	S	O	O	J	S	A	O
A	I	T	Á	T	Z	W	S	U	D	R	E	V	R	L
B	G	S	L	A	L	O	N	S	O	O	T	U	T	A
A	L	E	E	C	H	Ñ	O	R	K	Í	I	E	N	Í
N	E	L	V	A	K	I	R	V	L	Z	L	P	S	C
D	S	L	W	L	P	A	S	D	A	A	I	A	A	R
E	I	A	L	A	V	L	E	I	D	R	U	U	D	A
R	A	B	T	A	A	G	Q	A	O	K	B	I	K	G
A	S	A	N	S	E	T	N	A	V	R	E	C	E	R
S	K	O	A	A	B	A	L	E	N	C	I	A	G	A
Y	H	C	R	S	A	N	T	A	Y	A	N	A	W	Ó

51

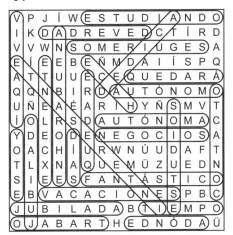

V	P	J	Í	W	E	S	T	U	D	I	A	N	D	O
I	K	D	A	D	R	E	V	E	D	C	T	Í	R	D
V	V	W	N	S	O	M	E	R	I	U	G	E	S	A
E	Í	E	E	B	E	Ñ	M	D	A	I	Í	S	P	Q
A	T	T	U	U	É	C	E	Q	U	E	D	A	R	Á
Q	Q	N	B	I	R	D	A	U	T	Ó	N	O	M	O
U	Ñ	E	A	É	A	R	Í	H	Y	Ñ	S	M	V	T
Í	O	L	R	S	D	A	U	T	Ó	N	O	M	A	C
Y	D	E	O	D	E	N	E	G	O	C	I	O	S	A
O	A	C	H	Í	U	R	W	N	Ú	U	D	A	F	T
T	L	X	N	A	Q	U	E	M	Ü	Z	U	E	D	N
S	I	E	E	S	F	A	N	T	Á	S	T	I	C	O
E	B	V	A	C	A	C	I	O	N	E	S	P	B	C
J	U	B	I	L	A	D	A	B	T	I	E	M	P	O
O	J	A	B	A	R	T	H	E	D	N	Ó	D	A	Ü

52

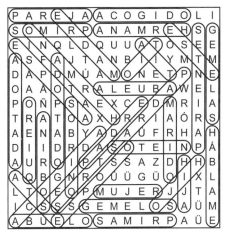

P	A	R	E	J	A	A	C	O	G	I	D	O	L	I
S	O	M	I	R	P	A	N	A	M	R	E	H	S	G
E	I	N	Q	L	D	Q	U	U	A	T	O	S	E	E
A	S	F	A	J	T	A	N	B	I	Í	Y	M	T	M
D	A	P	D	M	Ú	A	M	O	N	E	T	P	N	E
O	A	A	O	T	R	A	L	E	U	B	A	W	E	L
P	O	Ñ	P	S	A	E	X	C	E	D	M	R	I	A
T	R	A	T	O	A	X	H	R	R	I	A	Ó	R	S
A	E	N	A	B	Y	A	D	A	Ü	F	R	H	A	H
D	I	I	D	R	D	A	S	O	T	E	I	N	P	Á
A	U	R	O	I	P	T	S	S	A	Z	D	H	H	B
A	Q	B	G	N	R	O	Ü	Ü	G	Ü	O	I	X	L
L	T	O	E	O	P	M	U	J	E	R	J	J	T	A
I	C	S	S	S	G	E	M	E	L	O	S	A	Ü	M
A	B	U	E	L	O	S	A	M	I	R	P	A	Ü	E

53

F	R	Ü	M	H	Q	R	É	F	I	N	E	T	Ó	J
Í	K	B	A	S	T	A	N	T	E	A	D	J	G	Í
N	G	X	I	E	É	N	Í	R	I	A	F	C	O	D
E	O	T	U	C	P	B	B	X	D	E	C	P	V	Á
Ó	I	B	S	O	Y	D	E	U	Ñ	U	M	I	E	Ü
O	D	I	S	P	E	É	I	O	L	A	S	P	O	V
P	E	O	R	V	É	C	S	T	C	I	J	Í	O	I
V	V	I	I	D	H	Q	U	O	T	A	R	R	I	V
K	U	V	N	U	O	R	U	A	L	F	L	C	Ó	I
Ñ	I	A	M	C	A	N	R	E	S	B	G	G	U	D
Y	R	E	E	G	L	Í	D	N	Ñ	O	E	E	Ú	O
G	D	M	J	Ü	O	N	Í	E	S	A	C	U	Á	N
O	M	Q	O	G	V	J	E	D	E	C	O	R	P	U
X	T	U	R	O	U	Ú	A	Í	R	A	T	S	U	G
B	N	R	O	L	A	C	E	S	O	R	A	Ñ	Í	E

54

E	V	D	I	N	A	M	A	R	C	A	O	I	Á	A
L	Ñ	Y	A	I	S	N	A	E	M	D	V	T	D	I
I	M	A	C	I	I	Y	G	I	I	C	W	A	A	D
H	A	E	D	H	N	I	L	N	C	J	G	L	N	N
C	U	B	C	N	P	E	U	F	O	N	O	I	A	I
S	R	A	U	T	A	O	K	F	I	R	A	A	C	S
U	I	I	O	L	N	L	N	A	A	Y	U	R	Ü	U
D	C	L	H	I	G	O	R	Ú	E	E	I	E	F	I
Á	I	A	E	A	P	A	K	I	S	T	Á	N	G	Z
F	O	R	U	A	A	N	R	A	C	I	R	É	M	A
R	P	T	J	I	M	A	C	I	G	L	É	B	R	D
I	Ü	S	S	T	F	I	N	L	A	N	D	I	A	W
C	U	U	N	U	E	V	A	Z	E	L	A	N	D	A
A	R	A	U	S	T	R	I	A	G	R	E	C	I	A
C	O	L	O	M	B	I	A	R	U	M	A	N	Í	A

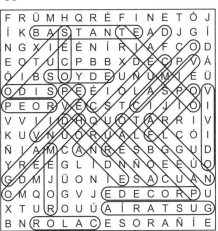

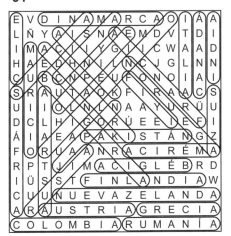

SOLUTIONS

55

H	Á	B	L	E	M	E	Ü	V	L	A	Ü	Í	Ú	C
A	Ó	T	R	A	D	I	C	I	O	N	A	L	H	S
S	D	E	C	O	R	A	R	O	S	R	Z	L	I	P
A	E	N	E	I	T	Ó	É	T	Ü	E	X	A	I	Ó
C	N	J	E	D	Í	N	L	R	D	D	W	S	V	Ñ
E	A	T	A	I	C	P	A	A	E	O	O	I	N	N
I	D	F	I	R	V	É	H	P	T	M	V	U	E	E
Ü	A	N	H	G	A	I	C	M	S	Ó	E	O	S	X
A	R	O	A	H	U	G	V	O	U	V	E	T	P	T
Ñ	O	Y	L	R	E	A	L	C	A	I	I	N	A	E
E	C	A	S	I	G	O	Á	V	E	L	L	Á	C	R
U	E	S	A	Í	Ñ	A	P	M	O	C	N	U	I	I
Q	D	O	R	M	I	T	O	R	I	O	S	C	O	O
E	L	L	U	S	S	A	N	O	S	R	E	P	G	R
P	V	A	I	L	I	M	A	F	J	A	R	D	Í	N

56

E	S	A	L	Ó	N	F	S	L	Ü	D	U	C	H	A
Ó	T	R	N	A	T	R	E	U	P	U	C	D	S	I
P	E	O	B	A	V	A	L	Z	E	H	U	O	A	S
A	L	D	R	A	T	A	R	A	I	L	Ñ	R	D	O
R	E	A	Z	D	C	N	D	M	N	A	O	M	N	F
E	V	R	Ó	I	E	A	E	O	B	I	B	I	O	Á
D	I	I	H	K	S	N	F	V	R	M	C	T	O	S
E	S	P	T	E	E	U	A	N	O	A	E	O	R	I
S	O	S	M	A	C	V	O	D	E	M	S	R	C	L
T	R	A	A	R	M	A	R	I	O	V	P	I	I	L
A	J	P	D	F	Ó	U	J	Q	U	R	E	O	M	A
N	I	C	E	T	C	Ñ	U	O	J	V	J	R	J	Ó
T	H	A	R	S	C	E	P	J	N	J	O	V	A	F
E	Ñ	M	A	U	T	K	E	M	U	E	B	L	E	A
S	S	A	P	A	N	I	R	T	I	V	S	F	E	S

57

N	B	É	V	D	E	N	T	Í	F	R	I	C	O	A
Ó	F	D	L	G	O	D	L	O	C	I	Ó	N	C	H
D	L	I	Y	Ñ	I	A	U	U	A	S	S	J	A	C
O	P	B	A	E	S	L	C	B	A	L	A	D	E	U
G	A	B	N	E	A	H	U	J	N	B	L	Ñ	G	D
L	P	T	O	V	I	R	N	Y	Ó	L	R	I	U	C
A	E	E	A	L	B	O	R	N	O	Z	O	G	T	H
S	L	B	L	U	P	T	O	A	L	L	A	S	R	A
E	O	A	J	S	A	F	E	I	T	A	D	O	M	M
N	G	A	E	E	X	F	O	L	I	A	N	T	E	P
I	S	N	Ó	S	A	J	R	O	D	A	C	E	S	Ú
E	P	L	E	T	N	A	Z	I	V	A	U	S	P	B
P	E	T	N	A	R	O	D	O	S	E	D	A	U	H
G	L	N	Ó	I	C	A	I	L	O	F	X	E	M	F
O	L	L	I	P	E	C	E	G	C	B	U	C	A	L

58

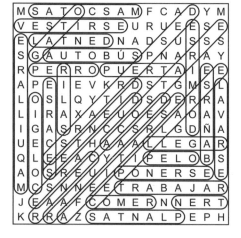

M	S	A	T	O	C	S	A	M	F	C	A	D	Y	M
V	E	S	T	I	R	S	E	U	R	U	E	E	S	E
E	L	A	T	N	E	D	N	A	D	S	U	S	S	S
S	G	A	U	T	O	B	Ú	S	P	N	A	R	A	Y
R	P	E	R	R	O	P	U	E	R	T	A	I	E	E
A	P	E	I	E	V	K	R	D	S	T	G	M	S	L
L	O	S	L	Q	Y	T	I	D	S	D	E	R	R	A
L	I	R	A	X	A	E	U	O	E	S	A	O	A	V
I	G	A	S	R	N	C	C	S	R	L	G	D	Ñ	A
U	E	C	S	T	H	A	A	A	L	L	E	G	A	R
Q	L	E	E	A	C	Y	T	I	P	E	L	O	B	S
A	O	S	R	E	U	I	P	O	N	E	R	S	E	E
M	C	S	N	N	E	E	T	R	A	B	A	J	A	R
J	E	A	A	F	C	O	M	E	R	N	N	E	R	T
K	R	R	A	Z	S	A	T	N	A	L	P	E	P	H

59

H	E	X	A	C	T	A	M	E	N	T	E	B	S	O
Z	C	J	O	G	N	O	P	U	S	E	D	A	O	E
E	S	U	P	U	E	S	T	O	I	T	J	B	M	R
M	Q	Ó	O	P	I	N	A	A	E	N	W	J	A	C
A	C	U	E	R	D	O	D	Z	L	E	F	É	T	Y
A	U	C	I	Ü	O	N	E	U	B	M	S	G	S	E
R	K	R	Ñ	V	I	I	M	Á	G	E	E	Y	E	R
U	V	X	A	N	O	Y	Ú	C	R	L	G	N	Ü	P
G	S	Ü	G	Z	D	C	I	U	I	B	U	Ü	T	M
E	T	U	E	E	O	E	A	Á	C	I	R	E	E	E
S	N	F	T	N	R	N	Z	Á	E	S	O	S	C	I
A	A	S	T	T	E	I	Q	O	D	O	K	T	I	S
E	U	I	O	A	U	I	A	U	I	P	E	O	D	K
Ó	Z	D	Z	Q	T	Ñ	T	M	Á	P	E	Y	J	D
A	B	S	O	L	U	T	O	S	N	E	I	P	X	B

60

Y	M	A	T	R	I	M	O	N	I	O	Z	Í	D	P
Y	U	E	L	E	C	C	I	O	N	E	S	A	I	C
G	L	P	A	I	R	A	T	N	U	L	O	V	P	Ú
N	T	N	O	I	O	L	L	A	I	C	O	S	U	W
Ú	I	Ó	E	B	R	T	M	K	Ú	S	Í	F	T	L
O	C	I	N	T	E	T	S	E	X	O	T	O	A	C
D	U	G	Q	C	D	G	S	E	D	A	C	R	D	I
E	L	I	U	I	A	E	O	U	U	I	J	Í	A	E
L	T	L	N	E	G	R	J	B	D	P	C	L	D	N
I	U	E	F	E	R	O	C	O	I	N	M	I	I	C
T	R	R	S	E	U	R	I	E	U	E	I	I	N	I
O	A	A	U	A	M	R	A	Z	L	X	R	F	A	A
P	L	I	E	N	E	R	G	Í	A	W	N	N	S	C
C	E	M	X	P	A	C	I	L	B	Ú	P	S	O	R
C	O	A	N	A	D	A	D	U	I	C	X	W	Ñ	G

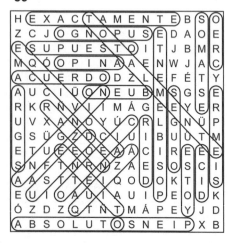

SOLUTIONS

61

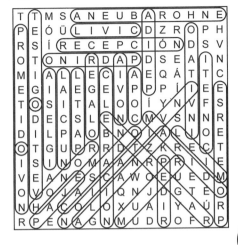

T	T	M	S	A	N	E	U	B	A	R	O	H	N	E
P	E	Ó	Ü	L	I	V	I	C	D	Z	R	O	P	H
R	S	Í	R	E	C	E	P	C	I	Ó	N	D	S	V
O	T	O	N	I	R	D	A	P	D	S	E	A	I	N
M	I	A	L	L	E	C	I	A	E	Q	Á	T	T	C
E	G	I	A	E	G	E	V	P	P	P	Í	I	E	E
T	O	S	I	T	A	L	O	O	Í	Y	N	V	F	S
I	D	E	C	S	L	E	N	C	M	V	S	N	N	R
D	I	L	P	A	O	B	N	O	I	A	L	I	O	E
O	T	G	U	P	R	R	D	T	Z	K	R	E	C	T
I	S	I	N	O	M	A	A	N	R	P	R	I	I	E
V	E	A	N	E	S	C	A	W	O	E	U	E	D	M
O	V	O	J	A	I	I	Q	N	J	D	G	T	E	O
N	H	A	C	O	L	O	X	U	A	I	Y	A	Ú	R
R	P	E	N	A	G	N	M	U	D	R	O	F	R	P

62

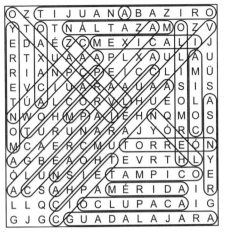

O	Z	T	I	J	U	A	N	A	B	A	Z	I	R	O
Y	T	O	T	N	Á	L	T	A	Z	A	M	O	Z	V
E	D	A	É	Z	C	M	E	X	I	C	A	L	I	J
R	T	X	U	A	A	A	P	L	X	A	U	L	A	U
R	I	A	N	P	C	P	E	I	C	C	L	I	M	Ü
E	V	C	I	U	A	R	A	A	U	A	A	S	I	S
T	Ú	A	L	C	O	R	V	L	H	U	E	O	L	A
N	W	O	H	M	P	A	I	E	H	N	Q	M	O	S
O	T	U	R	U	N	A	R	A	J	Y	Ó	R	C	O
M	C	A	E	R	C	M	U	T	O	R	R	E	Ó	N
A	G	B	E	A	O	H	T	E	V	R	T	H	L	Y
Ó	L	U	N	S	I	E	T	A	M	P	I	C	O	E
A	C	S	A	H	P	A	M	É	R	I	D	A	I	R
L	L	Q	C	I	O	C	L	U	P	A	C	A	I	G
G	J	G	C	G	U	A	D	A	L	A	J	A	R	A

63

U	B	I	Y	V	G	E	X	É	T	E	N	G	O	R
E	N	O	O	A	O	N	L	Á	A	N	U	G	L	A
U	A	W	T	T	N	E	Z	Ñ	H	P	G	V	D	D
H	M	O	R	I	J	I	T	E	D	S	E	D	B	I
Í	A	Ú	A	E	O	T	M	X	P	E	Ú	R	I	U
S	L	A	G	M	R	A	B	A	D	T	S	A	R	C
E	L	Y	A	P	H	D	Í	A	L	N	Á	Ñ	Ñ	O
L	C	A	L	O	Á	P	L	Ñ	T	E	N	E	R	W
A	O	B	É	I	Á	G	B	E	A	I	L	L	H	T
U	N	O	U	J	U	I	Í	J	Ñ	P	J	P	V	E
T	E	C	A	N	U	Á	O	C	Z	R	M	Z	Ú	N
I	J	R	H	Á	M	S	T	E	R	E	V	O	O	I
B	O	Ñ	W	C	R	Á	Ñ	M	E	S	H	R	C	D
A	L	E	G	U	S	T	A	R	Í	A	A	D	O	O
H	M	E	G	U	S	T	A	R	Í	A	C	E	Ñ	E

64

E	T	N	E	M	L	A	M	R	O	N	F	V	G	H
Ó	Ñ	P	T	B	R	A	N	I	C	O	C	E	Í	B
Ó	L	O	Q	A	D	A	L	U	T	I	T	B	U	S
M	C	D	É	I	A	X	K	O	O	Ñ	Q	I	I	A
É	O	A	C	L	Ó	Ó	G	M	A	S	U	Ó	L	P
Y	M	T	Ú	A	E	R	S	J	P	R	B	U	C	I
J	P	S	Ú	R	A	I	I	C	R	O	C	Y	A	R
Y	R	U	P	F	R	A	O	A	V	I	N	C	Y	V
H	A	G	Í	E	L	D	J	Ú	L	I	I	E	O	O
A	S	A	D	V	I	A	R	E	D	S	S	G	N	P
C	X	N	Ñ	C	I	L	P	A	Ú	J	M	T	L	M
E	E	L	E	V	X	B	S	M	C	B	L	E	O	E
S	G	R	E	Ü	Q	O	D	E	P	O	R	T	E	I
R	A	Ñ	E	E	K	D	Z	C	A	N	T	A	R	T
P	K	S	O	T	R	E	I	C	N	O	C	Y	A	F

65

S	S	E	T	R	O	P	E	D	Ó	Ó	Y	Á	W	J
E	Ü	S	E	D	P	C	J	S	U	P	E	W	B	E
P	S	V	O	E	I	P	Ó	U	I	A	A	A	U	C
Q	R	G	K	P	U	E	I	S	N	Í	N	G	I	K
G	I	A	I	O	Q	C	T	S	R	A	I	C	I	A
S	U	A	C	R	E	A	W	A	C	S	L	A	N	D
Y	Á	L	U	T	S	J	T	R	F	I	T	Y	O	A
P	R	F	G	I	I	S	E	Ñ	S	S	N	E	I	N
Ú	P	H	Ú	S	E	C	A	M	U	P	R	A	S	O
P	D	S	D	T	O	O	O	G	Ñ	Í	A	Ú	A	I
V	Ó	I	G	A	B	Í	E	A	E	G	G	V	N	S
E	D	N	Ó	D	E	O	U	X	N	U	U	Ü	M	E
R	U	E	V	Y	L	C	L	Q	O	A	J	W	I	L
L	O	T	S	E	C	N	O	L	A	B	G	Y	G	Y
O	L	E	S	I	O	N	A	D	O	E	I	H	T	Í

66

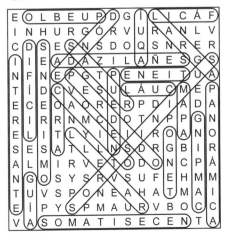

E	O	L	B	E	U	P	D	G	Í	L	I	C	Á	F
I	N	H	U	R	G	Ó	R	V	U	R	A	N	L	V
C	D	S	E	S	N	S	D	O	Q	S	N	R	E	R
I	I	E	A	D	A	Z	I	L	A	Ñ	E	S	G	S
N	F	N	E	P	G	T	P	E	N	E	I	T	U	A
T	Í	D	C	V	E	S	U	L	Á	U	C	M	E	P
E	C	E	O	A	O	R	E	R	P	D	I	A	D	A
R	I	R	R	N	M	C	D	O	T	N	P	P	G	N
E	L	I	T	L	Y	I	E	I	I	R	O	A	N	O
S	E	S	A	T	L	L	N	S	D	R	G	B	I	R
A	L	M	I	R	V	E	T	O	D	O	N	C	P	Á
N	G	O	S	Y	S	R	V	S	U	F	E	H	M	M
T	U	V	S	P	O	N	E	A	H	A	T	M	A	I
E	Í	P	Y	S	P	M	A	U	R	V	B	O	C	C
V	A	S	O	M	A	T	I	S	E	C	E	N	T	A

SOLUTIONS

67

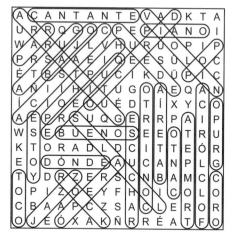

A	C	A	N	T	A	N	T	E	V	A	D	K	T	A
U	R	R	Q	G	O	C	P	E	P	I	A	N	O	I
W	A	R	U	J	L	V	H	U	R	U	O	P	I	P
P	R	S	Á	A	E	I	Q	E	É	S	Ú	L	O	C
É	T	B	S	T	P	U	C	Í	K	D	Ü	P	I	C
A	Ñ	I	I	H	I	T	U	G	O	Á	E	Q	A	N
Í	C	I	O	E	O	U	É	D	T	Í	X	Y	C	O
A	É	P	R	S	U	Q	G	E	R	R	P	A	I	P
W	S	E	B	U	E	N	O	S	E	E	O	T	R	U
K	T	O	R	A	D	L	D	C	I	T	T	E	Ó	R
E	O	D	Ó	N	D	E	A	U	C	A	N	P	L	G
T	Y	D	R	Z	E	R	S	C	N	B	A	M	C	C
O	P	I	Z	O	E	Y	F	H	O	I	C	O	L	O
C	B	A	Á	P	C	Z	S	A	C	L	E	R	O	R
O	J	E	Ó	X	A	K	Ñ	R	R	É	A	T	F	O

68

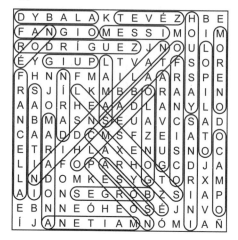

D	Y	B	A	L	A	K	T	E	V	É	Z	H	B	E
F	A	N	G	I	O	M	E	S	S	I	M	O	I	M
R	O	D	R	Í	G	U	E	Z	J	N	O	U	L	O
É	Y	G	I	U	P	L	T	V	A	T	F	S	O	R
F	H	N	N	F	M	A	I	L	A	Á	R	S	P	E
R	S	J	Í	L	K	M	B	B	O	R	A	A	I	N
A	A	O	R	H	E	A	A	D	L	A	N	Y	L	O
N	B	M	A	S	N	S	E	U	A	V	C	S	A	D
C	A	A	D	D	C	M	S	F	Z	E	I	A	T	O
E	T	R	I	H	L	A	X	E	N	U	S	N	O	C
L	I	A	F	O	P	A	R	H	O	G	C	D	J	A
L	N	D	O	M	K	E	S	Y	G	T	O	R	X	M
A	I	O	N	S	E	G	R	O	B	Z	S	I	A	P
E	B	N	N	E	Ó	H	E	Ó	S	É	J	N	V	O
Í	J	A	N	E	T	I	A	M	N	Ó	M	I	A	Ñ

69

O	S	A	D	A	M	I	N	A	L	U	S	A	É	B
T	X	C	Z	A	S	A	M	A	R	G	O	R	P	Y
S	I	C	N	A	L	L	L	S	A	B	A	D	E	P
I	Í	I	S	E	L	A	T	N	E	M	U	C	O	D
V	D	Ó	S	E	M	T	Y	S	O	M	E	D	O	P
X	U	N	M	A	E	P	E	L	Í	C	U	L	A	S
C	Í	O	R	R	C	U	L	E	B	R	O	N	E	S
C	N	E	R	C	D	I	V	E	R	T	I	D	A	P
O	E	O	S	A	C	I	T	N	Á	M	O	R	N	R
M	R	S	Q	R	H	V	O	S	G	Ó	U	V	Ó	E
E	P	Z	A	P	T	D	O	O	Á	Ó	P	E	I	F
D	C	R	Í	M	E	N	E	S	T	T	R	O	C	I
I	O	R	E	I	U	Q	U	I	G	S	N	X	C	E
A	S	A	M	A	R	D	O	L	E	M	U	A	I	R
S	E	S	T	A	B	A	B	I	E	N	I	G	F	O

70

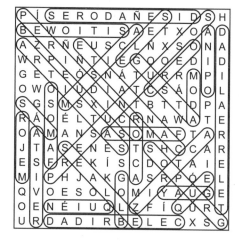

P	Í	S	E	R	O	D	A	Ñ	E	S	I	D	S	H
B	E	W	O	I	T	I	S	A	E	T	X	O	Á	D
A	Z	R	Ñ	E	U	S	C	L	Ñ	X	S	O	N	A
W	R	P	I	Ñ	T	I	E	G	O	O	E	D	I	D
G	E	T	É	Ó	S	N	Á	T	U	R	R	M	P	I
O	W	O	I	Ú	D	I	A	T	C	S	Á	O	O	L
S	G	S	M	S	X	I	N	T	B	T	T	D	P	A
R	Á	O	É	L	T	U	C	R	N	A	W	A	T	E
O	A	M	A	N	S	Á	S	O	M	A	F	T	A	R
J	T	A	S	E	N	É	S	T	S	H	C	C	A	R
E	S	F	R	É	K	Í	S	C	D	O	T	A	I	E
M	I	P	H	J	A	K	G	A	S	R	P	Ó	E	L
Q	V	O	E	S	Ó	L	O	M	I	Y	A	U	G	E
O	E	N	É	I	U	Q	L	Z	F	Í	Q	U	R	T
U	R	D	A	D	I	R	B	E	L	E	C	X	S	G

71

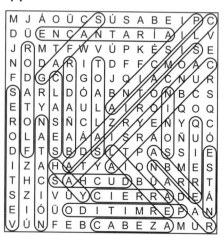

M	J	Á	O	Ü	C	S	Ú	S	A	B	E	I	P	C
D	Ü	E	N	C	A	N	T	A	R	Í	A	I	L	V
J	R	M	T	F	W	V	Ú	P	K	É	S	I	S	E
N	O	D	A	R	I	T	D	F	F	C	M	O	A	C
F	D	G	C	O	G	O	J	Q	I	Á	C	N	U	R
S	A	R	L	D	Ó	A	B	N	T	O	N	B	C	S
E	T	Y	A	A	U	L	A	I	R	O	I	Q	O	Q
R	O	N	S	Ñ	C	L	Z	R	Y	E	Ñ	Y	Q	C
O	L	A	E	A	Á	A	I	S	R	A	O	Ñ	U	Ó
D	F	T	S	B	D	S	L	T	P	A	S	S	I	E
I	Z	A	H	A	T	Y	A	I	O	N	B	M	E	S
T	H	C	S	A	H	C	U	D	B	Ú	A	R	R	T
S	Z	I	V	Ú	Y	C	I	E	R	R	A	D	E	Á
E	I	Ó	Ü	O	D	I	T	I	M	R	E	P	A	N
V	Ú	N	F	E	B	C	A	B	E	Z	A	M	U	R

72

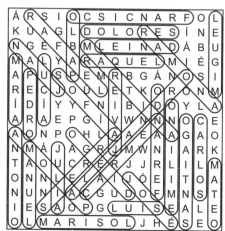

Á	R	S	I	O	C	S	I	C	N	A	R	F	O	L
K	U	A	G	L	D	O	L	O	R	E	S	Í	N	E
N	G	E	F	B	M	L	E	I	N	A	D	Á	B	U
M	A	L	Y	A	R	A	Q	U	E	L	M	I	É	G
A	P	U	S	P	E	M	R	B	G	Á	N	O	S	I
R	E	C	J	O	Ü	L	E	T	K	O	R	O	N	M
Í	D	Í	Y	Y	F	N	I	B	I	D	O	Y	L	A
A	R	A	E	P	G	Í	V	W	N	Ñ	N	O	C	E
A	O	N	P	O	H	L	A	A	E	Á	A	G	A	O
N	M	Á	J	A	G	R	J	M	W	N	I	A	R	K
T	A	O	U	C	R	E	R	J	J	R	L	I	L	M
O	N	N	L	E	L	A	Í	J	Ó	E	I	T	O	A
N	U	N	Í	Á	C	G	Ú	D	O	F	M	N	S	T
I	E	S	A	O	P	G	L	U	I	S	E	A	L	E
O	L	M	A	R	I	S	O	L	J	H	É	S	E	O

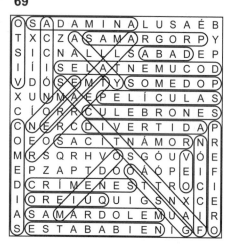

SOLUTIONS

73

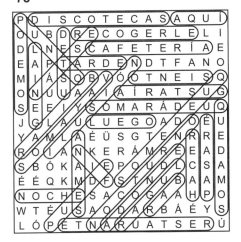

P	D	I	S	C	O	T	E	C	A	S	A	Q	U	Í
O	U	B	D	R	E	C	O	G	E	R	L	E	L	I
D	L	N	E	S	C	A	F	E	T	E	R	Í	A	E
E	A	P	T	A	R	D	E	N	D	T	F	A	N	O
M	I	Á	S	O	B	V	Ó	O	T	N	E	I	S	Q
O	N	Ú	U	A	A	Í	Á	Í	R	A	T	S	U	G
S	E	E	I	Y	S	O	M	A	R	Á	D	E	U	Q
J	G	L	A	U	L	U	E	G	O	A	D	O	É	U
Y	A	M	L	A	É	Ü	S	G	T	E	N	R	R	E
R	O	I	A	N	K	E	R	Á	M	R	É	E	A	D
S	B	Ó	K	A	I	E	P	O	U	D	L	C	S	A
É	É	Q	K	M	D	F	S	T	N	U	B	A	A	M
N	O	C	H	E	S	A	C	O	G	A	A	H	P	O
W	T	É	U	S	A	O	D	A	R	B	Á	É	Y	S
L	Ó	P	E	T	N	A	R	U	A	T	S	E	R	Ú

74

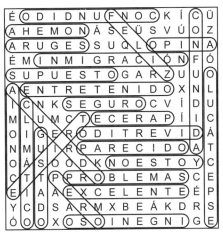

É	O	D	I	D	N	U	F	N	O	C	K	Í	C	Ü
A	H	E	M	O	N	Á	S	E	Ü	S	V	Ú	O	Z
A	R	U	G	E	S	S	U	Q	L	O	P	I	N	A
É	M	I	N	M	I	G	R	A	C	I	Ó	N	F	Ó
S	U	P	U	E	S	T	O	G	A	R	Z	U	U	O
A	E	N	T	R	E	T	E	N	I	D	O	X	N	L
Í	C	N	K	S	E	G	U	R	O	C	V	Í	D	U
M	L	U	M	C	T	E	C	E	R	A	P	Í	I	C
O	I	G	E	R	O	D	I	T	R	E	V	I	D	Á
N	M	U	I	R	P	A	R	E	C	I	D	O	A	T
O	Á	S	O	O	D	K	N	O	E	S	T	O	Y	C
C	T	T	P	P	R	O	B	L	E	M	A	S	C	E
E	Í	A	A	E	X	C	E	L	E	N	T	E	É	P
Y	C	D	S	A	R	M	X	B	E	Á	K	D	R	S
Ó	O	O	X	O	S	O	I	N	E	G	N	I	G	E

75

R	E	L	I	G	I	O	S	A	T	S	I	D	U	B
M	U	S	U	L	M	A	N	A	I	T	S	I	R	C
J	U	D	Í	A	A	G	N	Ó	S	T	I	C	O	A
C	W	O	S	O	I	G	I	L	E	R	J	L	D	E
C	O	N	T	A	R	M	E	F	S	K	É	A	I	T
V	V	N	C	R	E	E	N	C	I	A	S	C	D	A
C	X	E	T	N	A	S	E	R	E	T	N	I	N	C
É	O	W	P	R	O	B	A	R	L	O	C	T	E	I
Ú	N	S	J	C	A	T	Ó	L	I	C	O	S	F	L
O	I	O	T	M	U	S	U	L	M	Á	N	Ó	O	Ó
A	Ü	O	D	U	C	R	I	S	T	I	A	N	O	T
Í	Q	O	I	R	M	T	J	Z	Z	O	M	G	W	A
R	X	U	E	D	E	B	R	A	Z	E	R	A	S	C
E	Ó	N	I	T	U	P	R	O	F	E	S	A	O	J
Ú	D	N	I	H	A	J	G	E	P	E	Ñ	O	Q	É

76

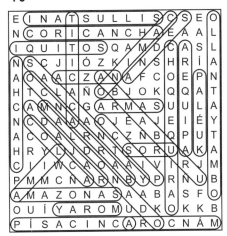

E	I	N	A	T	S	U	L	L	I	S	C	S	E	O
N	C	O	R	I	C	A	N	C	H	A	E	A	A	L
I	Q	U	I	T	O	S	Q	A	M	D	C	A	S	L
N	S	C	J	I	Ó	Z	K	I	N	S	H	R	Í	A
A	O	A	A	C	Z	A	N	A	F	C	O	E	P	N
H	T	C	L	A	Ñ	O	B	J	O	K	Q	Q	A	T
C	A	M	N	C	G	A	R	M	A	S	U	U	L	A
N	C	D	A	A	A	O	J	E	A	J	E	I	É	Y
A	C	O	A	L	R	N	C	Z	Ñ	B	Q	P	U	T
H	R	Y	L	J	D	R	T	S	O	R	U	A	K	A
C	I	I	W	C	A	O	A	A	I	V	I	R	J	M
P	M	M	C	Ñ	A	R	N	B	Y	P	R	Ñ	U	B
A	M	A	Z	O	N	A	S	A	A	B	A	S	F	O
O	U	Í	Y	A	R	O	M	U	D	K	O	K	K	B
P	Í	S	A	C	I	N	C	A	R	O	C	N	Á	M

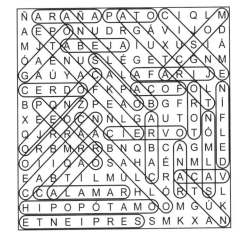

77

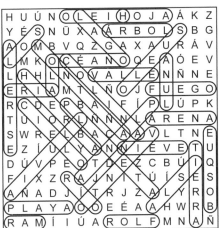

H	U	Ú	N	O	L	E	I	H	O	J	A	Á	K	Z
Y	É	S	N	Ü	X	A	Á	R	B	O	L	S	B	G
A	O	M	B	V	Q	Z	G	A	X	A	U	R	Á	V
L	M	K	O	C	É	A	N	O	Q	E	A	Ó	E	V
L	H	H	L	N	O	V	A	L	L	E	N	Ñ	N	E
E	R	I	A	M	T	L	Ñ	O	J	F	U	E	G	O
R	C	D	E	P	B	A	I	F	Í	P	L	Ú	P	K
T	Ú	I	O	R	L	Ñ	Ñ	N	L	A	R	E	N	A
S	W	R	E	L	B	A	C	A	A	V	L	T	N	E
E	Z	Í	U	L	Y	A	N	N	I	E	V	E	T	U
D	Ú	V	P	E	O	T	D	É	Z	C	B	Ú	I	Q
F	I	X	Z	R	A	J	N	Í	T	Ú	Í	S	É	S
A	Ñ	A	D	J	Í	T	R	J	Z	A	L	Y	R	O
P	L	A	Y	A	O	O	E	É	A	A	H	W	R	B
R	A	M	Í	I	Ú	A	R	O	L	F	M	N	A	Ñ

78

Ñ	A	R	A	Ñ	A	P	A	T	O	C	I	Q	L	M
A	E	P	O	N	U	D	R	G	Á	V	I	J	O	D
M	J	T	A	B	E	J	A	Í	U	X	Ú	S	I	Á
Ó	A	E	N	U	S	L	É	G	E	T	C	G	N	M
G	Á	Ú	Y	A	C	A	L	A	F	A	R	I	J	E
C	E	R	D	O	F	K	P	A	C	O	F	O	L	N
B	P	Q	N	Z	P	E	A	O	B	G	F	R	T	Í
X	E	E	O	C	N	Ñ	L	G	A	U	T	O	N	F
Q	J	R	R	A	A	C	I	E	R	V	O	T	Ó	L
O	R	B	M	R	R	B	N	Q	B	C	A	G	M	E
O	Í	I	Q	A	O	S	A	H	A	É	N	M	L	D
E	A	B	T	Í	L	M	Ú	L	C	R	A	C	A	V
C	C	A	L	A	M	A	R	H	L	Ó	R	T	S	L
H	I	P	O	P	Ó	T	A	M	O	O	M	G	Ú	K
E	T	N	E	I	P	R	E	S	S	M	K	X	A	N

SOLUTIONS

79

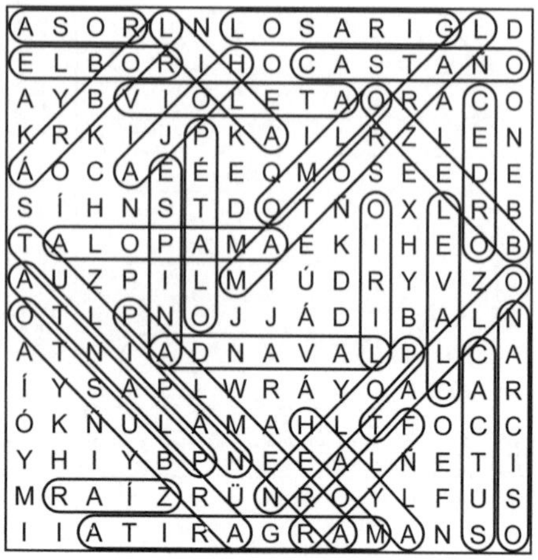

80

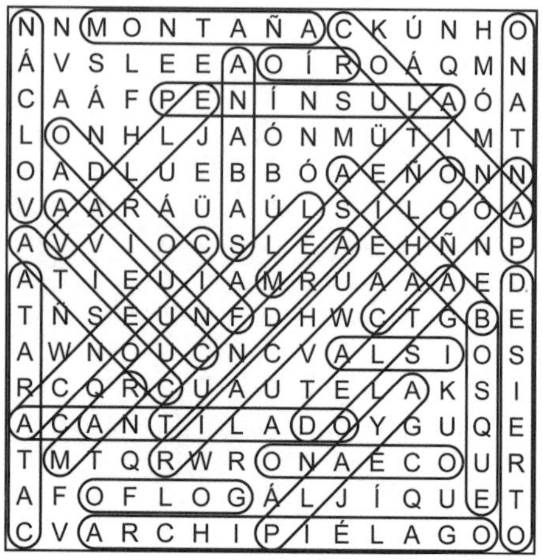

81

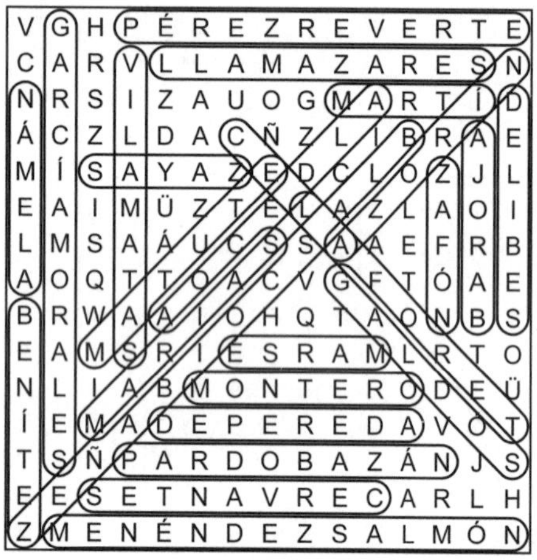

82

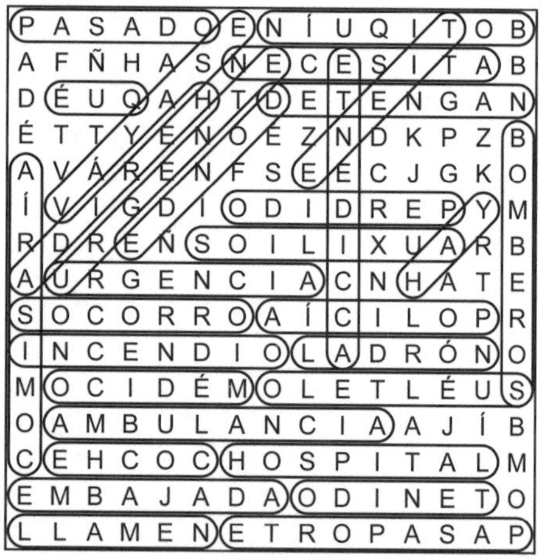

83

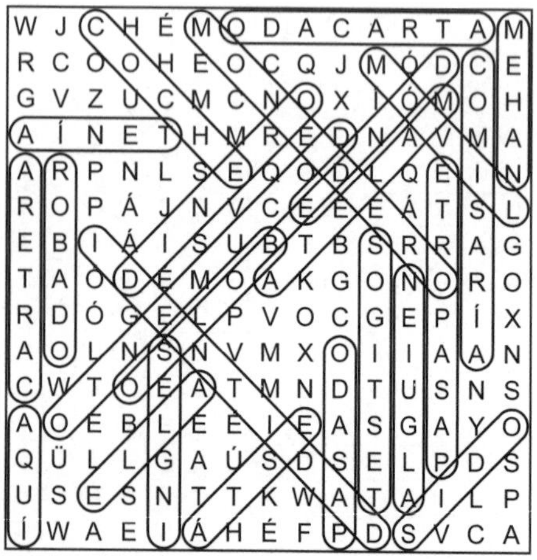

84

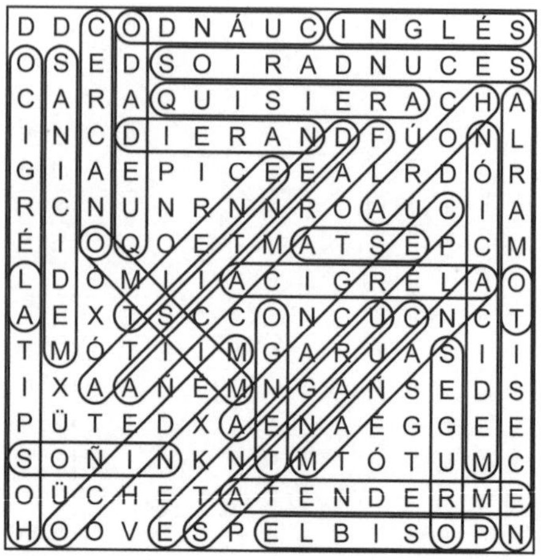

SOLUTIONS

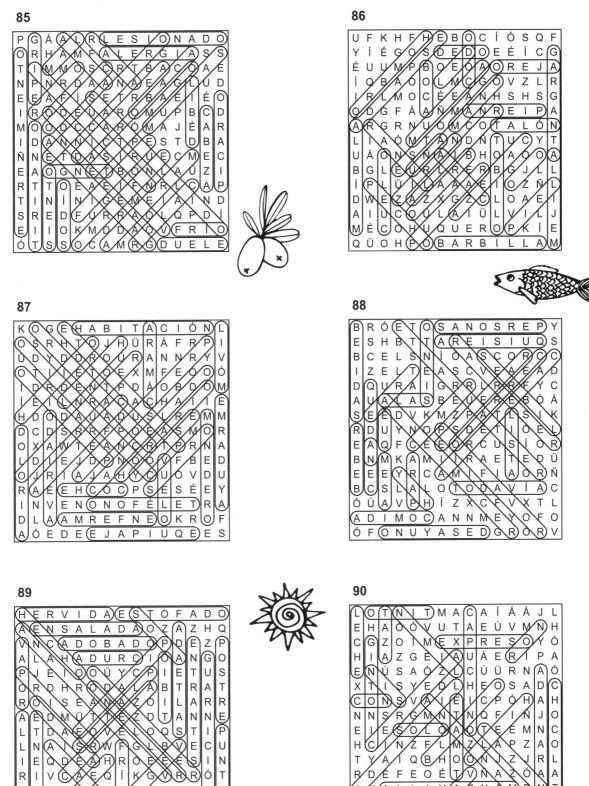

85

P	G	Á	A	L	R	L	E	S	I	O	N	A	D	O
O	R	H	A	M	F	A	L	E	R	G	I	A	S	S
T	I	M	M	O	S	C	R	T	B	A	C	O	A	E
N	P	N	R	D	A	A	N	A	E	A	G	L	U	D
E	E	A	F	Í	S	E	T	R	B	A	E	I	É	O
I	R	O	D	E	U	A	R	O	M	U	P	B	C	D
M	O	O	D	C	C	A	R	Ó	M	A	J	É	A	R
I	D	A	N	N	I	C	T	P	E	S	T	D	B	A
Ñ	N	E	T	D	A	S	I	R	U	E	C	M	E	C
E	A	O	G	N	E	T	B	O	N	L	A	Ü	Z	I
R	T	T	O	E	A	E	I	F	N	R	L	C	A	P
T	I	N	Í	N	I	G	E	M	E	I	A	I	N	D
S	R	E	D	F	U	R	R	A	O	L	Q	P	D	Í
E	I	I	O	K	M	D	D	A	O	V	F	R	Í	O
Ó	T	S	S	O	C	A	M	R	G	D	U	E	L	E

86

U	F	K	H	F	H	E	B	O	C	Í	Ó	S	Q	F
Y	Í	É	G	O	S	D	E	D	O	E	É	Í	C	G
É	U	U	M	P	B	O	E	O	A	O	R	E	J	A
Í	Q	B	A	O	O	L	M	C	G	O	V	Z	L	R
I	R	L	M	O	C	É	E	A	N	H	S	H	S	G
O	D	G	F	Á	A	Ñ	M	A	N	R	E	I	P	A
A	R	G	R	N	U	O	M	C	O	T	A	L	Ó	N
L	I	A	Ó	M	T	A	N	D	Ñ	T	U	C	Y	T
U	Á	O	N	S	Ñ	A	I	B	H	O	A	O	O	A
B	G	L	E	U	R	L	R	E	R	B	G	J	L	L
Í	P	L	Ü	I	L	A	A	A	E	I	O	Z	Ñ	L
D	W	E	Z	A	Z	X	G	Z	C	L	O	A	E	Í
A	I	U	C	O	Ü	L	A	I	Ü	L	V	I	L	J
M	É	C	O	H	U	Q	U	E	R	O	P	K	Í	E
Q	Ü	O	H	P	O	B	A	R	B	I	L	L	A	M

87

K	O	G	E	H	A	B	I	T	A	C	I	Ó	N	L
O	S	R	H	T	O	J	H	Ü	R	Á	F	R	P	I
Ü	D	Y	D	D	R	O	Ü	R	A	N	N	R	Y	V
O	T	I	I	E	T	O	E	X	M	F	E	O	O	Ó
Í	D	R	D	E	N	T	P	D	Á	O	B	D	O	M
Í	E	I	L	N	R	A	C	A	C	H	A	I	I	E
H	D	O	D	A	U	A	D	U	S	L	R	E	M	M
D	C	D	S	R	R	F	P	O	E	A	S	M	O	R
O	X	A	W	T	E	A	N	C	R	T	P	R	N	A
L	D	I	E	J	D	P	N	O	O	V	F	B	E	D
O	J	R	I	A	J	A	H	Y	C	U	O	V	D	U
R	A	E	E	H	C	O	C	P	S	E	S	É	E	Y
I	N	V	E	N	O	N	O	F	É	L	E	T	R	A
D	L	A	A	M	R	E	F	N	E	O	K	R	O	F
A	Ó	E	D	E	E	J	A	P	I	U	Q	E	E	S

88

B	R	Ó	E	T	O	S	A	N	O	S	R	E	P	Y
E	S	H	B	T	T	A	R	E	I	S	I	U	Q	S
B	C	E	L	S	N	Í	O	A	S	C	O	R	C	C
I	Z	E	L	T	E	A	S	C	V	E	A	E	A	D
D	Q	U	R	A	I	G	R	R	L	R	R	F	Y	C
A	U	A	L	A	S	B	E	U	E	R	E	B	Ó	Á
S	E	E	D	V	K	M	Z	P	A	T	L	S	I	K
R	D	U	Y	N	O	P	S	D	E	T	I	O	E	L
E	A	Q	F	C	E	E	O	R	C	U	S	Í	O	R
B	N	M	K	A	M	I	Í	R	A	E	T	E	D	Ü
E	E	E	Y	R	C	A	M	I	F	I	A	O	R	Ñ
B	C	S	L	A	L	O	T	O	D	A	V	Í	A	C
Ó	Ú	A	V	P	H	Í	Z	X	C	F	V	X	T	L
A	D	I	M	O	C	A	N	N	M	E	Y	O	F	O
Ó	F	O	N	U	Y	A	S	E	D	G	R	O	R	V

89

H	E	R	V	I	D	A	E	S	T	O	F	A	D	O
A	E	N	S	A	L	A	D	A	O	Z	A	Z	H	Q
V	N	C	A	D	O	B	A	D	O	P	D	E	Z	P
A	L	A	H	A	D	U	R	C	I	O	A	N	G	O
P	J	E	I	O	O	Ü	Y	C	P	I	E	T	U	S
O	R	D	H	R	O	D	A	L	A	B	T	R	A	T
R	O	I	S	E	A	N	A	Z	O	I	L	A	R	R
A	E	D	M	Ü	T	T	E	Z	D	T	A	N	N	E
L	T	D	A	E	O	V	E	L	O	Q	S	T	I	P
L	N	A	Í	S	R	W	F	G	L	B	V	E	C	U
I	E	Q	D	E	A	H	R	O	E	E	É	S	I	N
R	I	V	C	A	E	Q	Í	K	G	V	R	R	Ó	T
R	L	G	M	C	R	B	A	A	Í	P	H	Y	N	O
A	A	É	H	Ñ	P	U	N	O	W	F	R	I	T	O
P	C	A	O	U	S	O	C	S	E	R	F	E	R	I

90

L	O	T	N	I	T	M	A	C	A	Í	Á	Á	J	L
E	H	A	Ó	Ó	V	U	T	A	E	Ú	V	M	N	H
C	G	Z	O	Í	M	E	X	P	R	E	S	O	Y	Ó
H	I	A	Z	G	E	I	A	U	Á	E	R	Í	P	A
E	N	Ú	S	A	Ó	Z	L	C	Ú	Ü	R	N	A	Ó
X	T	I	S	Y	E	D	L	H	E	O	S	A	D	C
C	O	N	S	V	A	I	E	I	C	P	Ó	H	A	H
N	N	S	R	G	M	N	T	N	Q	F	I	Ñ	J	O
E	I	E	S	O	L	O	A	O	T	E	E	M	N	C
H	C	I	N	Z	F	L	M	Z	L	A	P	Z	A	O
T	Y	A	Í	Q	B	H	O	O	N	J	Z	J	R	L
R	D	É	F	E	O	É	T	V	Ñ	A	Z	Ó	A	A
A	Y	A	L	L	I	N	A	Z	N	A	M	B	N	T
E	D	R	E	V	L	S	C	A	L	I	E	N	T	E
Á	Á	R	H	B	O	T	E	L	L	A	A	Ñ	I	P

SOLUTIONS

91

Z	A	É	Í	W	C	Ñ	E	A	Ó	C	C	E	S	G
E	K	H	U	E	V	O	S	N	R	A	Ú	E	O	P
S	É	L	R	L	W	E	Y	A	R	B	V	É	E	A
A	H	E	Y	O	G	U	R	B	S	Á	Í	S	D	V
P	A	S	T	E	L	R	O	D	C	Á	C	F	I	I
L	Á	U	S	C	G	N	F	E	U	A	R	V	F	T
Ó	Ü	Á	Ú	H	O	R	I	F	D	R	P	G	S	A
L	E	N	A	P	U	T	F	O	U	A	A	E	Í	M
G	A	H	Z	T	E	S	Q	R	S	R	L	S	Z	I
A	O	S	A	N	Z	U	O	T	A	A	M	C	É	N
L	R	Ü	I	S	E	Z	A	C	R	S	O	P	A	A
L	A	R	S	S	Y	Ó	M	E	E	S	O	D	Á	S
E	P	R	O	T	E	Í	N	A	I	S	Í	K	X	Y
T	Z	W	O	Z	E	I	O	U	R	A	C	Ú	Z	A
A	S	E	R	B	M	U	G	E	L	E	C	H	E	E

92

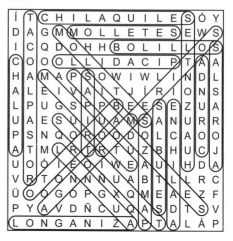

Í	T	C	H	I	L	A	Q	U	I	L	E	S	Ó	Y
D	A	G	M	M	O	L	L	E	T	E	S	E	W	S
I	C	Q	D	O	H	H	B	O	L	I	L	L	O	S
C	O	O	O	L	L	I	D	A	C	I	P	T	A	A
H	A	M	A	P	S	O	W	I	W	L	I	N	D	L
A	L	E	I	V	A	I	T	J	Í	R	I	O	N	S
L	P	U	G	S	P	P	B	E	E	S	E	Z	U	A
U	A	E	S	U	I	U	A	M	S	A	N	U	R	R
P	S	N	Q	O	R	O	O	D	O	L	C	A	O	O
A	T	M	L	R	T	R	T	U	Z	B	H	U	C	J
U	O	Ó	I	E	O	Í	W	E	A	U	I	H	D	A
V	R	T	O	N	Ñ	Ñ	U	A	B	T	L	L	R	C
Ü	O	O	G	O	P	G	X	Q	M	E	A	E	Z	F
P	Y	A	V	D	Ñ	C	U	Q	A	S	D	T	S	V
L	O	N	G	A	N	I	Z	A	P	T	A	L	Á	P

93

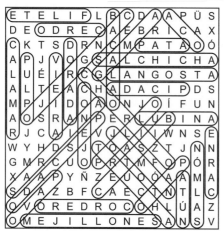

E	T	E	L	I	F	L	B	C	D	A	A	P	Ü	S
D	E	O	D	R	E	C	A	E	B	R	Í	C	A	X
C	K	T	S	D	R	N	C	M	P	A	T	A	O	Ó
A	P	J	V	O	G	S	A	L	C	H	I	C	H	A
L	U	É	I	R	C	G	L	A	N	G	O	S	T	A
A	L	T	E	A	C	H	A	D	A	C	I	P	D	S
M	P	J	Í	D	O	A	O	N	J	O	Í	F	U	N
A	O	S	R	A	N	P	E	R	L	U	B	I	N	A
R	J	C	A	I	E	V	J	L	I	I	W	N	S	E
W	Y	H	D	S	J	T	O	A	S	Z	T	J	N	N
G	M	R	C	U	O	P	R	T	M	F	O	P	Ó	R
X	A	A	P	Y	Ñ	Z	E	U	O	O	A	Á	M	A
S	D	A	Z	B	F	C	A	E	C	T	N	T	L	C
O	V	O	R	E	D	R	O	C	O	H	L	Ú	A	Z
O	M	E	J	I	L	L	O	N	E	S	A	N	S	V

94

S	A	Z	E	R	E	C	O	T	N	E	I	M	I	P
A	C	A	N	I	P	S	E	P	P	N	O	C	R	A
G	U	I	S	A	N	T	E	S	O	E	H	Í	N	J
M	E	S	O	R	J	P	O	N	S	A	R	A	P	N
E	H	C	C	A	I	T	A	P	M	U	Z	A	Y	A
L	T	I	I	N	P	T	Ñ	P	R	N	C	R	C	R
O	J	A	O	R	Á	L	I	D	A	F	R	E	S	A
C	A	O	M	L	U	Ñ	P	M	L	I	M	Ó	N	N
O	M	G	P	O	O	E	C	A	T	A	T	A	P	C
T	I	N	M	N	T	I	L	O	C	Ó	R	B	P	E
Ó	L	A	A	R	Á	N	D	A	N	O	Ú	T	O	B
N	J	M	U	G	U	I	N	D	I	L	L	A	M	O
F	F	V	Á	L	B	A	R	I	C	O	Q	U	E	L
Z	A	N	A	H	O	R	I	A	Ó	H	J	D	L	L
S	N	E	C	A	N	I	R	A	T	C	E	N	O	A

95

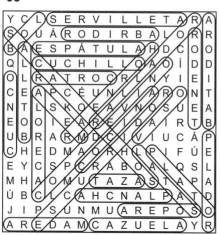

Y	C	L	S	E	R	V	I	L	L	E	T	A	R	A
S	O	U	Á	R	O	D	I	R	B	A	L	O	R	R
B	A	E	S	P	Á	T	U	L	A	H	D	C	O	O
Q	L	C	U	C	H	I	L	L	O	A	Ó	Í	D	D
O	L	R	A	T	R	O	C	R	L	N	Y	I	E	I
C	E	A	P	C	É	U	N	L	I	A	R	O	N	T
N	T	L	S	K	O	E	A	V	N	O	S	U	E	A
E	O	O	I	E	A	R	E	I	D	A	Í	R	T	B
U	B	R	A	R	M	D	C	I	V	I	U	C	Á	P
C	H	E	D	M	A	O	R	H	L	P	I	F	Ú	E
E	Y	C	S	P	C	R	A	B	O	A	L	Q	S	L
M	H	A	O	M	U	T	A	Z	A	S	T	A	P	A
Ú	B	C	L	C	A	H	C	N	A	L	P	A	T	D
J	I	P	S	U	N	M	U	A	R	E	P	O	S	O
A	R	E	D	A	M	C	A	Z	U	E	L	A	Y	R

96

A	L	B	Ó	N	D	I	G	A	S	O	T	S	I	P
G	R	E	Ó	C	P	L	E	N	T	E	J	A	S	Í
B	S	M	I	S	O	A	S	O	R	R	U	H	C	O
É	A	V	A	E	H	C	E	B	A	C	S	E	G	J
J	L	V	M	T	P	U	I	L	B	Á	Y	S	A	O
L	M	N	U	M	E	E	D	D	L	Q	É	W	Z	M
E	O	G	T	U	R	R	Ó	N	O	A	V	Ú	P	N
C	R	A	O	R	M	O	I	B	A	C	A	L	A	O
H	E	C	Q	I	Ü	S	P	H	I	A	G	L	C	C
E	J	H	G	Y	M	Ü	F	A	C	Ü	F	E	H	S
F	O	A	E	E	Ü	I	Y	L	V	Ú	Í	X	O	A
R	S	S	Y	A	D	Á	B	A	F	I	R	L	S	P
I	S	A	T	E	U	Q	O	R	C	U	E	N	V	A
T	Q	I	U	T	O	R	R	I	J	A	S	J	P	P
A	É	Á	A	L	L	I	T	R	O	T	Y	E	A	G

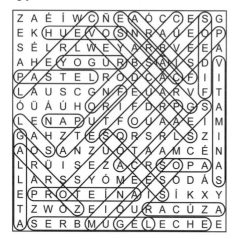

SOLUTIONS

97

S	O	V	A	L	C	N	C	A	N	E	L	A	E	C
C	A	R	D	A	M	O	M	O	A	P	S	R	Ú	H
E	N	E	L	D	O	Q	Q	Y	M	R	B	B	E	A
J	N	T	E	F	A	É	P	I	M	I	E	N	T	A
I	Á	Ó	M	O	L	I	D	O	G	I	N	T	H	N
S	R	O	T	A	L	L	I	N	I	A	V	O	N	U
A	F	L	O	P	I	M	E	N	T	O	N	B	O	E
L	A	L	R	L	D	J	A	N	E	Y	A	C	N	Z
L	Z	I	E	E	N	Ñ	E	S	E	J	O	T	A	M
I	A	M	M	R	I	M	O	A	A	A	E	N	G	O
M	T	O	O	U	U	L	K	J	J	R	I	M	É	S
E	S	T	R	A	G	Ó	N	M	O	S	V	É	R	C
S	O	N	I	L	L	O	B	E	C	N	Ñ	Y	O	A
G	M	Í	X	A	D	I	L	O	M	N	I	C	H	D
U	Ó	Ó	H	A	C	A	H	A	B	L	A	H	M	A

98

S	A	L	L	A	T	A	B	S	A	M	R	O	F	O
Y	U	G	Ñ	W	V	A	G	E	N	E	R	A	L	D
E	B	V	H	I	T	A	L	B	E	I	N	O	D	A
T	I	D	E	S	I	E	R	T	O	J	Z	I	I	N
A	R	N	E	W	V	O	O	A	K	É	I	C	S	E
L	T	I	J	R	N	C	J	P	Ñ	Ó	R	R	T	T
O	F	E	R	G	N	A	S	O	C	A	T	O	A	N
C	S	I	M	A	G	I	N	A	R	I	A	V	N	E
O	D	E	L	V	O	L	V	E	R	N	C	I	C	S
H	V	B	B	B	S	A	C	T	C	A	I	D	I	A
C	Y	P	E	Q	U	E	Ñ	A	S	D	C	R	A	Í
C	O	R	A	Z	Ó	N	S	C	H	A	M	Á	N	R
N	M	V	I	D	A	A	K	S	O	M	B	R	A	O
T	F	S	O	I	N	O	M	E	D	B	R	E	V	E
C	H	I	V	O	T	N	I	R	E	B	A	L	B	T

99

E	T	N	E	I	R	A	P	A	A	J	I	K	E	A
S	V	T	X	Í	A	T	R	E	M	Ñ	Ü	N	R	D
P	L	O	T	Í	G	L	Z	E	Q	I	I	Y	B	A
O	E	D	R	N	E	U	L	T	Ñ	U	G	N	M	L
S	X	I	A	O	L	D	P	N	Ñ	A	E	A	O	I
A	T	C	Ñ	V	O	L	X	E	Í	C	P	Ñ	H	B
M	R	O	A	I	C	A	J	C	O	C	H	M	O	U
I	A	N	I	A	G	Ñ	J	S	U	N	H	I	O	J
G	Ñ	O	M	V	A	N	I	E	R	E	A	E	C	C
O	O	C	I	A	O	J	U	L	R	O	N	M	C	O
É	W	Y	C	D	R	N	G	O	E	A	Ñ	I	U	H
U	B	I	E	U	H	I	Í	D	J	V	P	I	É	H
Ó	H	E	J	L	N	N	D	A	U	Y	Z	R	N	R
C	R	Ü	B	T	A	E	Y	O	M	R	O	Y	E	Ü
D	V	O	S	O	P	S	E	A	E	E	K	Y	Ñ	V

100

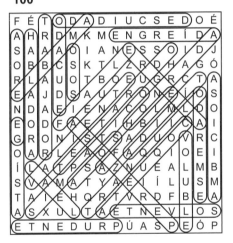

F	É	T	O	D	A	D	I	U	C	S	E	D	O	É
A	H	R	D	M	K	M	E	N	G	R	E	Í	D	A
S	A	A	A	O	I	A	N	E	S	S	O	I	D	J
O	B	B	C	S	K	T	L	Z	R	D	H	A	G	Ó
R	L	A	U	O	T	B	O	E	U	G	R	C	T	A
E	A	J	D	S	A	U	T	R	O	N	E	Í	O	S
N	D	A	E	I	E	N	A	C	O	L	M	L	D	O
E	O	D	F	A	E	T	I	H	B	I	I	C	A	I
G	R	O	N	I	S	T	S	A	D	U	O	V	R	C
O	A	R	L	E	A	O	F	A	Q	Q	I	O	E	I
Í	L	A	T	P	S	A	Z	N	U	E	A	L	M	B
S	V	A	M	A	T	Y	A	E	Í	Í	L	U	S	M
T	A	I	E	H	Q	R	T	V	R	D	F	B	E	A
A	S	X	U	L	T	A	E	T	N	E	V	L	O	S
E	T	N	E	D	U	R	P	Ú	A	S	P	E	Ó	P

101

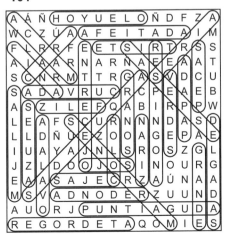

A	Á	Ñ	H	O	Y	U	E	L	O	Ñ	D	F	Z	A
W	C	Z	Ú	A	A	F	E	I	T	A	D	A	I	M
F	L	R	R	F	E	E	T	S	I	R	T	R	S	S
A	I	A	A	R	N	A	R	Ñ	A	E	E	A	A	T
S	C	N	R	M	T	T	R	G	A	S	V	D	C	U
S	A	D	A	V	R	U	C	R	C	P	E	A	E	B
A	S	Z	I	L	E	F	Q	A	B	I	R	P	P	W
L	E	A	F	S	C	U	R	N	N	N	D	A	S	D
L	L	D	Ñ	Ü	E	Z	O	O	A	G	E	P	A	E
I	U	A	Y	A	J	N	L	S	R	O	S	Z	G	L
J	Z	L	D	O	O	J	O	S	I	N	O	U	R	G
E	A	A	S	A	J	E	C	R	Z	A	Ú	N	A	A
M	S	V	A	D	N	O	D	E	R	Z	U	U	N	D
A	U	O	R	J	P	U	N	T	I	A	G	U	D	A
R	E	G	O	R	D	E	T	A	Q	O	M	I	E	S

102

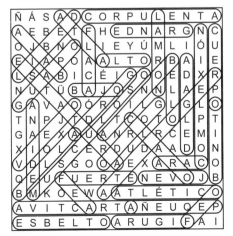

Ñ	Á	S	A	D	C	O	R	P	U	L	E	N	T	A
A	E	B	E	T	F	H	E	D	N	A	R	G	N	C
O	J	B	N	O	L	I	E	Y	Ú	M	L	I	Ó	U
E	I	A	P	O	A	A	L	T	O	R	B	A	I	E
L	S	A	B	I	C	É	I	G	O	O	E	D	X	R
N	U	T	Ü	B	A	J	O	S	N	N	L	A	E	P
G	A	V	A	O	Ó	R	O	I	L	G	L	G	L	O
T	N	P	J	T	D	L	T	C	O	T	O	L	P	T
G	A	E	X	A	U	A	N	R	L	R	C	E	M	I
X	I	O	L	C	E	R	D	U	D	A	A	D	O	N
V	D	L	S	G	O	O	A	E	X	A	R	A	C	O
Q	E	U	F	U	E	R	T	E	N	E	V	O	J	B
B	M	K	O	E	W	A	A	T	L	É	T	I	C	O
A	V	I	T	C	A	R	T	A	Ñ	E	U	Q	E	P
E	S	B	E	L	T	O	A	R	U	G	I	F	A	I

SOLUTIONS

103

J	O	J	O	R	R	I	L	E	P	E	L	U	C	A
O	O	B	T	U	C	O	R	T	O	H	Z	Ú	K	I
P	S	R	B	Y	E	N	C	R	E	S	P	A	D	O
A	E	I	U	T	E	Ñ	I	D	O	L	Y	V	R	J
T	O	L	L	C	G	U	O	E	A	P	U	N	T	A
E	S	L	O	D	S	H	U	D	Ñ	P	A	L	T	O
L	R	A	A	Ó	A	O	I	O	A	E	S	C	W	C
O	A	N	M	R	E	B	Y	T	W	L	Ñ	A	O	E
C	T	T	E	A	G	F	I	N	O	Q	U	Ñ	C	S
A	I	E	C	N	R	O	U	E	L	X	A	D	O	A
L	L	I	H	E	B	I	R	I	R	T	J	Ñ	N	N
V	I	C	A	L	V	A	Z	S	S	T	O	L	P	O
O	M	A	S	E	R	Z	E	A	Z	M	A	Á	B	G
A	I	D	E	M	Z	É	C	R	D	V	Í	S	M	Á
N	K	B	L	A	N	C	O	G	C	O	R	T	A	R

104

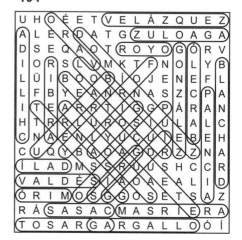

U	H	O	É	E	T	V	E	L	Á	Z	Q	U	E	Z
A	L	E	R	D	A	T	G	Z	U	L	O	A	G	A
D	S	E	Q	A	O	T	R	O	Y	O	G	Ó	R	V
I	O	R	S	L	V	M	K	T	F	N	O	L	Y	B
L	Ü	I	B	O	O	B	Í	O	J	E	N	E	F	L
L	F	B	Y	E	A	Ñ	R	N	A	S	Z	C	P	A
I	T	E	A	R	R	T	I	G	G	P	Á	R	A	N
H	T	R	R	L	U	R	O	S	I	U	L	A	L	C
C	N	A	É	N	L	Y	U	C	U	I	E	B	E	H
C	U	Q	Y	B	A	O	A	G	D	R	Z	Z	N	A
Í	L	A	D	M	S	S	R	U	U	S	H	C	C	R
V	A	L	D	É	S	I	A	O	A	E	A	L	I	D
Ó	R	I	M	O	S	G	G	O	S	E	T	S	A	Z
R	Á	S	A	S	A	C	M	A	S	R	I	E	R	A
T	O	S	A	R	G	A	R	G	A	L	L	O	Ó	Í